le japonais
sans peine

méthode quotidienne

le japonais
sans peine

par

Catherine GARNIER

et

MORI Toshiko

3ᵉ édition

Illustrations J.-L. Goussé

B.P. 25
13, rue Gay-Lussac
94431 Chennevières-sur-Marne Cedex
FRANCE

ISBN : 2-7005-0120-9

Méthodes  ®

Volumes reliés, abondamment illustrés
et enregistrés sur cassettes ou compact discs

"Sans Peine"

Le nouvel allemand sans peine
L'américain sans peine
L'anglais
L'arabe sans peine (tome1)
L'arabe sans peine (tome2)
L'arménien sans peine
Le brésilien sans peine
Le bulgare sans peine
Le chinois sans peine (tome1)
Le chinois sans peine (tome2)
L'écriture chinoise
Le coréen sans peine
Le danois sans peine
Le nouvel espagnol sans peine
L'espéranto sans peine
Le finnois sans peine
Le nouveau grec sans peine
L'hébreu sans peine (tome1)
L'hébreu sans peine (tome2)
Le hindi sans peine
Le hongrois sans peine
L'indonésien sans peine
Le nouvel italien sans peine
Le japonais sans peine (tome1)
Le japonais sans peine (tome2)
Le japonais : l'écriture kanji
Le latin sans peine
Le nouveau néerlandais sans peine
Le norvégien sans peine
Le persan sans peine
Le polonais sans peine
Le nouveau portugais sans peine
Le roumain sans peine
Le nouveau russe sans peine
Le serbo-croate sans peine
Le suédois sans peine (tome1)
Le suédois sans peine (tome2)
Le swahili sans peine
Le tamoul sans peine
Le tchèque sans peine

Introduction au thaï
Le turc sans peine
Le vietnamien sans peine

"Perfectionnement"

Perfectionnement allemand
Perfectionnement anglais
Perfectionnement espagnol
Perfectionnement italien
La pratique du néerlandais

"Langues régionales"

L'alsacien sans peine
Le basque unifié (initiation)
Le corse sans peine
Le créole sans peine
L'initiation au breton sans peine
Le breton sans peine (tome1)
Le breton sans peine (tome2)
L'occitan sans peine

"Affaires"

Le nouvel anglais des affaires
L'espagnol des affaires

"Civilisations"

Apprenez l'Amérique ! (Langue et
civilisation)

Assimil "Plus"

L'anglais par l'humour

"Bilingues" (1 livre + cassettes)

Pour mieux connaître l'arabe

"Loisirs"

La guitare sans peine (cours en 2
cassettes et 24 fiches)
Le solfège sans peine (cours en 3
cassettes et un livret)

"Expressions idiomatiques"

Plus anglais que ça...
Plus espagnol que ça...

INTRODUCTION

Un bon côté de l'étude du japonais, c'est que **sa prononciation** ne pose aucune difficulté pour les Français. 95 % des sons du japonais existent en français. Pour les 5 % qui restent, vous comprendrez très vite après lecture des explications ci-dessous et quelques exercices oraux. Dès la 7e leçon, vous n'y penserez même plus ! D'ailleurs cette prononciation est si simple que nous n'indiquerons la prononciation figurée que pendant les 35 premières leçons. Ensuite nous n'emploierons plus que la transcription officielle.

Il y a donc seulement quelques points auxquels il vous faudra faire un peu attention au début. D'abord pour les consonnes, c'est le plus facile :

● Tous les **h** que vous trouverez sont **aspirés** : *ha, hi, he, ho, hyo...*

● En japonais il n'y a pas de **r** ni de **l**, mais un son entre les deux. La transcription officielle (d'origine américaine) note ce son par un "r". Mais comme il est plus proche de notre "l" français, nous le noterons, au début, dans la prononciation figurée, par un "l" : *la, li, lou, le, lo, lyo.*

● On trouvera souvent dans la transcription officielle deux consonnes identiques qui se suivent : "tt", "kk". Pour prononcer ce **tt**, c'est exactement comme lorsqu'on dit "At... choum" pour imiter un éternuement, en coupant le mot en deux et en retenant le "t". C'est-à-dire qu'on commence à prononcer le "t", on le tient un peu, et on le termine : *shitte, ikka, rokka* (prononciation figurée : shit'té, ik'ka, rok'ka).

C'est tout pour les consonnes. Pour les voyelles ce n'est guère plus compliqué :

● Il y a des voyelles qui doivent être prononcées **longues**. Elles sont tenues un peu plus longtemps que les autres. Dans la transcription officielle, on les indique par un trait sur la voyelle ou un accent circonflexe. Dans la prononciation figurée, elles seront doublées : *sô* (soo) ; *ikimashô* (ikimachoo). C'est très important de ne pas oublier de les allonger, car sinon, il y a des mots qui deviennent incompréhensibles.

● Vous rencontrerez très souvent un son qui est transcrit par **u** dans la transcription officielle. C'est le seul qui vous posera peut-être quelques problèmes. Mais comme il revient sans cesse, vous vous y ferez très vite. Selon le contexte, ce son se prononcera soit "u" (c'est le cas le plus rare), soit entre "eu" et "ou" (il sera noté "ou" dans la prononciation figurée), soit, c'est très fréquent, il ne se prononce pas du tout. Dans ce cas, la prononciation figurée le remplacera par une apostrophe : *arimasu ka* (alimass' ka).

● Le dernier point un peu délicat est la prononciation de ce que la transcription officielle écrit **in, en** et **an, on**. Pour **in** et **en**, pas de problème, c'est un "i" ou un "é", plus un "n", comme dans m**ine** ou m**ène**. Nous l'écrirons (in') ou (èn') dans la prononciation figurée. Pour **an** et **on**, c'est un peu plus compliqué. C'est comme si on avait d'abord "an" et "on", comme en français : "jour de l'**an**", "**on** m'a dit", plus un "n". Nous l'écrirons : (an.n') et (on.n').

Voilà, c'est tout. Nous n'en parlerons plus. Avec ces quelques explications, un minimum d'attention, quelques exercices et un peu d'oreille, vous êtes parés pour prononcer n'importe quelle phrase en japonais.

Nous ne vous ennuierons pas avec des histoires d'accent tonique, d'intonation, etc., qui ne sont pas tellement importants pour vous faire comprendre. Inutile de compliquer par plaisir. Pour les premières leçons, une intonation tout à fait plate ira très bien, sauf pour les questions, où le ton monte à la fin comme en français. C'est tout naturellement, en écoutant les enregistrements, que vous vous mettrez à varier votre intonation, et à acquérir ainsi, sans même vous en apercevoir, une prononciation vraiment japonaise.

Une seule chose à mettre dans un coin de votre tête et à ne pas oublier : **attention aux voyelles longues.**

Un autre bon côté de la langue japonaise, ce sont **les mots** qui la composent. Prenons **les noms,** par exemple. Ils n'ont ni genre, ni nombre, pas d'article. Pas besoin donc de se creuser la tête pour se rappeler si c'est masculin, féminin, trembler devant les accords de participes, les S ou les X. Rien de tout cela. たまご *tamago,* c'est "l'œuf, un œuf, les œufs, des œufs, mon œuf, tes œufs, etc.". じどうしゃ *jidôsha* c'est : "la voiture, ma voiture, sa voiture, des voitures, leurs voitures, etc.".

Les verbes ! On est bien loin de nos longs tableaux de conjugaison. Bien sûr, ils ont plusieurs formes, mais d'abord, ils ne changent pas de forme selon les personnes. たべます *tabemasu* (tabémass'), c'est : "je mange, tu manges, il (elle) mange, nous mangeons, vous mangez, ils mangent" et quelquefois même : "je mangerai..., ils mangeront". Quelle économie ! En 15 leçons, vous aurez déjà vu la plupart des formes les plus usuelles. Verbes irréguliers ? Il n'y en a que 3 et qui le sont juste un petit peu. Evidemment, il arrive, par contre, que l'on emploie un verbe différent pour parler de soi ou des autres, ou bien que l'on fabrique des suites de verbes et de suffixes, mais nous verrons cela plus tard.

Par contre, ce qui sera un peu bizarre pour vous, c'est que les mots qui correspondent à nos **adjectifs** sont comme les verbes. C'est-à-dire qu'ils changent de forme selon qu'ils sont au présent, au passé, ou négatifs, et qu'ils signifient aussi toutes les personnes.

"Chiisai (tchïissaill')" veut dire "c'est petit", mais aussi, "je suis petit, tu es petit, il est petit,... ils sont petits". *"Chiisakunai* (tchïissakounaill')" sera "ce n'est pas petit", mais aussi "je ne suis pas petit, il n'est pas petit, vous n'êtes pas petits", etc. Tout cela, nous le verrons tranquillement au fur et à mesure des leçons.

Mais là où il va vous falloir faire tout de suite une petite gymnastique cérébrale, c'est que l'**ordre des mots** de la phrase est complètement à l'inverse du nôtre. Le verbe (ou l'adjectif) sera toujours à la fin et tous les compléments (le sujet, quand il y en a un) seront avant lui. Une phrase comme : "il y a du pain et du café sur la table de la cuisine" sera : "cuisine. de. table. sur. pain. et. café. il y a." C'est une habitude à prendre et, après tout, vous verrez que c'est très logique et pas si compliqué que cela en a l'air ! Alors, direz-vous, si tout vient devant le verbe, comment savoir alors ce qui est le sujet, ce qui est complément, et complément de quoi ? Eh bien, les Japonais ont un petit système très ingénieux. Après chaque mot, ils placent une petite syllabe (parfois deux) dont le rôle est justement d'indiquer : le mot qui me précède est sujet, ou : le mot qui me précède est complément de lieu.

Par exemple : パン を たべます

pan o tabemasu (pan.n' o tabémass').

Pan.n', c'est "du pain". Tabémass', c'est "manger". Et le petit "o" entre les deux, veut dire : "pan.n' est le complément d'objet de tabémass'". Toute la phrase voudra simplement dire : "je (tu, il, nous, vous, ils) mange du pain".

Ou bien encore バス で いきます
basu de ikimasu (bassou dé ikimass') ;

basu (bassou) = bus, *ikimasu* (ikimass') = aller. Le *de* (dé) entre les deux veut dire : bassou est le complément de moyen de ikimass'. La phrase voudra dire : "je (tu...) vais en bus".

Comme ces petits mots, qu'on appelle en jargon savant des **particules enclitiques,** n'ont pas de traduction possible en français, dans la traduction décomposée, c'est leur fonction qui sera indiquée :

パン を たべます
pan o tabemasu   je mange du pain
(pan.n o tabémass')   (pain / [objet] / manger)

バス で いきます
basu de ikimasu   je vais en autobus
(bassou dé ikimass')   (autobus / [moyen] / aller)

Les particules enclitiques ne sont pas nombreuses, exactement 10, et comme on les emploie sans arrêt, vous serez surpris vous-mêmes de voir qu'en une vingtaine de leçons, vous les aurez très bien assimilées. Evidemment, il y a encore des tas d'autres sortes de mots pour faire des phrases, et des constructions un peu plus difficiles, mais nous avons 100 leçons pour nous en occuper, alors...

Maintenant, il faut tout de même bien rencontrer quelque part quelque chose de vraiment difficile ! Et se sera, pour nous, **l'écriture.** Et c'est vrai, il ne faut pas se le cacher, l'écriture japonaise est difficile. Pourtant, plus de cent millions de personnes vivent, travaillent, inondent le monde de leurs produits, en utilisant cette écriture. Et il n'y a pas de raison que vous n'y arriviez pas vous aussi. Si nous choisissons de vous permettre d'acquérir aussi l'écriture, c'est qu'elle fait absolument partie de la langue. Tout texte japonais est écrit avec cette écriture. Ne pas savoir du tout la lire, c'est se condamner, à brève échéance, à ne plus faire aucun progrès dans la langue.

Ce qui donne à l'écriture japonaise ce caractère compliqué, c'est que les Japonais utilisent en fait deux systèmes en même temps. D'ailleurs, si vous avez déjà eu l'occasion de voir un texte japonais, et si vous êtes un peu observateur, vous pouvez repérer très vite les deux systèmes. Si vous n'en avez pas eu l'occasion, faites le test maintenant. Regardez le texte suivant pendant deux minutes et essayez de trouver les éléments de chaque système (réponse page XVII).

明治の中ごろは、アメリカおよびイギリス、フランス、ドイツ、ロシアなど、ヨーロッパ諸国ともさかんに貿易をしました。さらに、学問、文学、美術、音楽などの面でもいろいろなえいきょうを受けました。

Vous l'aviez peut-être trouvé, mais, en tout cas, la réponse le montre clairement : vous avez d'un côté des signes très simples faits d'un, deux ou trois traits, et de l'autre des signes beaucoup plus complexes qui ont l'air d'îlots dans une mer. Eh bien, voilà, vous savez déjà distinguer les éléments des deux systèmes.

Le premier, celui dont les signes sont les plus simples, est un système syllabique, c'est-à-dire que chaque signe correspond à une syllabe. Cela s'appelle des KANA. Si nous regardons la réponse à notre exemple, ce sont les signes des paragraphes **(1)** et **(2)**. Si on prend ceux du début :

の = no, ご = go, ろ = ro, お = o, よ = yo, び = bi, な = na, ど = do, と = to, も = mo, さ = sa, か = ka, etc.

Mais pour corser un peu l'affaire (et peut-être l'aviez-vous remarqué aussi), il existe deux sortes de KANA. Les

uns servent à écrire tous les mots japonais. Ce sont les
HIRAGANA. Ceux qui se trouvent sous le **(1)** de la
réponse page XVII. Ils sont plus arrondis.
Les autres servent à écrire les mots d'origine étrangère,
actuellement les noms propres de personnes ou de lieux,
et les noms communs (surtout d'origine américaine). Ce
sont les KATAKANA, regroupés sous le **(2)** de la réponse.
Leur forme est assez différente de celle des HIRAGANA.
Elle est plus anguleuse, encore plus simple, souvent.

Chacune de ces sortes de KANA comporte un nombre
limité de signes : 46 pour chacun, correspondant à la
combinaison de presque toutes les voyelles existantes (5)
avec les consonnes existantes (9). (Vous trouverez des
tableaux pages 313 et 314).

Certains HIRAGANA reviennent régulièrement, surtout
ceux qui servent pour les terminaisons des verbes et les
particules enclitiques (ces petites syllabes qui servent à
indiquer la fonction des mots, dont nous parlions plus
haut). Vous réussirez très vite à les identifier. Et lorsque la
phase passive sera terminée, après la 49ᵉ leçon, vous
n'aurez certainement aucun mal à les retenir pour de bon,
et à apprendre à les tracer.

Il en va autrement pour le deuxième système, celui des
caractères plus complexes. C'est là le point noir pour
tous ceux qui étudient le japonais. Autant le savoir, et
savoir aussi que ''patience et longueur de temps font
mieux que''... désespoir avant même de commencer !

Ce deuxième système c'est ce qu'on appelle les KANJI
漢字, c'est-à-dire tout simplement les ''caractères'' (字)
''chinois'' (漢) qui ont été, comme leur nom l'indique,
empruntés par les Japonais à la Chine. Ce sont des
IDEOGRAMMES, c'est-à-dire que chaque caractère correspond à un **sens**. Ainsi le caractère 人 correspond au

sens "humain". Utilisé par les Chinois, il aura une certaine prononciation. Utilisé par les Japonais, il en a une autre. Utilisé par les Vietnamiens, il en a encore une autre. Et si nous voulions nous amuser à écrire le français avec ces idéogrammes, nous pourrions l'utiliser et le prononcer : "homme".

Il y a donc une différence fondamentale entre le système des KANA et celui des KANJI : "Le feu", en japonais, se dit *hi* (avec h aspiré, n'oublions pas !). Nous pourrons l'écrire en utilisant un hiragana : ひ . Mais ce hiragana pourra aussi être employé dans tous les mots où il y a la syllabe "hi", comme en français, même si "a" est le verbe avoir à la troisième personne (il a), la lettre a peut être employée dans une grande quantité d'autres mots. Mais si nous voulons employer un kanji, nous emploierons 火 qui se prononcera bien *hi,* mais ce caractère-là ne voudra toujours dire que : "le feu" : 火 = le feu.

Toutes ces explications pour en arriver au point crucial. Attention, là, il faut un peu "s'accrocher". On reprend : un idéogramme correspond à un **sens.** Prenons 煙 qui veut dire "la fumée" (et comme il n'y a pas de fumée sans feu, on trouve dans le dessin de la fumée, le dessin du feu : 火 ; en voyant ce caractère nous comprenons qu'il y a un rapport avec le feu. Ça aide, parfois !). Les Japonais, avant d'écrire leur langue avec les caractères chinois, avaient, bien sûr, un mot pour dire "fumée". C'était : *kemuri* (kémouli). Que s'est-il passé quand les Japonais ont emprunté les caractères à la Chine ? Ils ont trouvé ce caractère 煙 , et puisque cela voulait dire "fumée", ils l'ont choisi pour écrire leur "kémouli". Et partout où on voyait ce caractère, on lisait désormais : kémouli. Jusque-là le principe est simple.

Mais, malheureusement pour nous, les Japonais ont eu une autre idée, c'est de prendre non seulement l'écriture, mais aussi la prononciation chinoises. En chinois, ce caractère se prononçait à peu près comme "en" (èn'). Et les Japonais ont gardé cette prononciation dans le cas des mots composés. Par exemple, un mot composé : 煙害 qui veut dire "pollution par la fumée", se prononcera *engai* (èn'gaill'), ce qui n'a plus rien à voir avec kémouli. Si bien que, pour finir, chaque caractère chinois a au moins deux prononciations. L'une est le vrai mot japonais primitif, l'autre, une adaptation de l'ancienne prononciation chinoise. Parfois certains caractères ont même plusieurs prononciations pour chaque catégorie.

Exemples tirés de notre texte :
国 pays ; japonais : *kuni* (kouni) ; ancien chinois, **revu par les Japonais** : *koku* (kokou).
音 bruit ; japonais : *oto* ou *ne* (né) ; ancien chinois : *on* (on.n') ou *in* (in').
中 intérieur ; japonais : *naka* ; ancien chinois : *chû* (tchuu) ou *jû* (juu).

Ouf ! Ne nous affolons pas. Il ne s'agit pas d'apprendre tout cela, tout de suite. Simplement nous emploierons normalement, comme dans tout texte japonais, les caractères chinois, là où ils doivent être employés. Il s'agira pour vous, au début, et pendant toute la phase passive, de les regarder, d'apprendre petit à petit à reconnaître les plus usuels. Mais vous pourriez être surpris de rencontrer le même caractère avec des prononciations différentes... D'où le développement qui précède et qui était là pour vous prévenir ! Un homme averti en valant deux, vous voilà maintenant en pleine forme pour vous mettre à pied d'œuvre et attaquer la première leçon.

La première étape de votre étude sera donc **passive**. Jusqu'à la 49ᵉ leçon, vous écouterez, vous lirez **à haute voix,** vous ferez les exercices, vous vous amuserez à repérer les kana et les caractères chinois. Si vous avez envie tout de suite d'épater vos amis, vous pourrez en apprendre quelques-uns (vous trouverez tout ce qu'il faut pour vous entraîner pages 313 et 314), mais ce n'est pas obligatoire ! Il s'agit tout d'abord de bien comprendre, de vous laisser imprégner par la langue.

Ce n'est qu'à partir de la 50ᵉ leçon que vous entrerez dans la phase active, c'est-à-dire qu'en plus de la leçon quotidienne, vous reprendrez une leçon déjà vue, que nous vous indiquerons, en traduisant cette fois le français en japonais. Comme vous aurez déjà compris tant de choses, que votre oreille et votre œil se seront habitués, vous parlerez naturellement, sans effort particulier, comme un enfant commence à parler après avoir longtemps assimilé le langage des adultes.

Toutes les 7 leçons, une leçon de révision fera le bilan de ce que vous aurez vu dans la semaine, et vous aidera à le mettre en ordre. Vous serez étonnés, chaque fois, de constater vos progrès.

L'essentiel, c'est que votre étude soit régulière. Mieux vaut voir peu de choses et souvent, plutôt que beaucoup à la fois de temps en temps. Le plus difficile, il faut le savoir, sont les trois premières semaines, parce qu'il vous faut ''prendre le rythme''. Mais c'est comme pour la marche ou la course : si vous allez trop vite, vous allez vous essouffler ; si vous avancez trop irrégulièrement, vous allez vous fatiguer inutilement. Alors appliquez-vous dès le début à trouver votre rythme, et une fois lancés, ce sera avec plaisir et sans gaspillage d'effort que vous assimilerez la langue japonaise.

1er système

(1)

の	ご	ろ	お	よ	び	な	ど	と	も
さ	か	ん	に	を	し	ま	た	さ	ら	で
い	え	きょう		け	は				

(2)

ア	メ	リ	カ	イ	ギ	リ	ス	フ	ラ	ン
ド	ツ	ロ	シ							

2e système

明	治	中	諸	国	貿	易
学	問	文	学	美	術	面	受

Les cassettes d'accompagnement vous proposent pour chaque leçon l'enregistrement du dialogue et des phrases du premier exercice. Pour les six premières leçons, le dialogue est enregistré deux fois. La première fois, chaque phrase est dite très lentement, afin que vous entendiez bien chaque syllabe. La deuxième fois, le texte est dit plus rapidement. La prononciation du japonais, nous venons de le voir dans l'Introduction, ne pose pas vraiment de problème. Et dès la 8e leçon, vous repèrerez sans aucune difficulté les mots du texte ; il n'est plus nécessaire, alors, de le répéter deux fois !

NOTES PERSONNELLES

NOTES PERSONNELLES

NOTES PERSONNELLES

NOTES PERSONNELLES

第一課

da i i k ka
(daill' ik' ka)

1 - 早く。(1) (2)
　　ha ya ku
　　(hayakou)

2 　行きましょう。(3)
　　i ki ma shô
　　(ikimachoo)

3 - わかりました。
　　wa ka ri ma shi ta
　　(ouakalimach'ta)

4 　どこ　へ。
　　do ko　　e
　　(doko é)

5 - あそこ　へ。
　　a so ko　e
　　(assoko é)

Première leçon
(ière / un / leçon)

1 — Vite.

2   Allons.

3 — J'ai compris.

4   Où?
     (où / [destination])

5 — Là-bas.
     (là-bas / [destination])

NOTES
(1) N'oubliez pas : le *h* est aspiré !

(2) Regardez bien le caractère chinois employé dans cette phrase. Au-dessus se trouvent des petits hiragana. C'est l'habitude japonaise que d'indiquer ainsi la prononciation de ce caractère. Lorsqu'un caractère chinois sera employé, sa prononciation vous sera donc donnée trois fois : une fois en petits hiragana, comme ici dans 早 (く), une fois en transcription officielle : *haya*, une fois en prononciation figurée : (haya), sans changement dans le cas présent par rapport à la précédente.

Petit à petit, vous devrez vous habituer à ne plus regarder que la première !

(3) Encore un petit point d'écriture. Les caractères chinois utilisés en Chine correspondaient tous à des mots invariables. Mais les verbes japonais, eux, varient. Ici, nous avons une forme *ikimashô* (ikimachoo), mais on peut trouver *iku* (ikou), *ikanai* (ikanaill'), etc. Si bien que pour les verbes, on garde le caractère chinois pour la partie qui ne varie jamais, ici le *i*, et on écrit le reste avec des hiragana : 行きましょう *i ki ma shô*.

6 - 暑い です ね。
   あつ
   a tsu i de su ne
   (atsouï dèss' né)

7 - そう です ね。(4)
   sô   de su ne
   (soo dèss' né)

練習
れんしゅう
renshû
(lèn'chuu)

1. 早く。
   はや
   hayaku
   (hayakou)

2. 行きましょう。
   い
   ikimashô
   (ikimachoo)

3. 早く 行きましょう。
   はや い
   hayaku ikimashô
   (hayakou ikimachoo)

4. わかりました。
   wakarimashita
   (ouakalimach'ta)

…に 言葉 を 入れ なさい。
    ことば   い
   ni koto ba o i re na sa i
(... ni kotoba o ilé nassaill')

Mettez, à l'endroit des points, les mots manquants.
(... / [lieu] / mot / [objet] / mettez)

1. *Où ? là-bas.*

   doko e? . . . . . e

6 — Il fait chaud !
(être chaud / c'est / [accord])

7 — Oui alors !
(ainsi / c'est / [accord])

NOTES (suite)

(4) Les Japonais affectionnent particulièrement ces mots courts en fin de phrase (on les appelle d'ailleurs des particules finales). Ils servent à donner à l'ensemble de la phrase une certaine nuance. Ici, ce ね *ne* (né) montre à l'interlocuteur qu'on comprend bien sa situation et qu'on éprouve le même sentiment que lui : 暑い です ね *a tsu i de su ne* (atsouï dèss' né) = "il fait chaud" (je crois que c'est ce que vous pensez et moi aussi je le pense). そう です ね *sô de su ne* (soo dèss' né) "oui" (je pense bien comme vous). Nous lui donnerons comme équivalent [accord] dans la traduction décomposée.

Exercices

1. Vite.
2. Allons-y.
3. Allons vite (dépêchons-nous).
4. J'ai compris.

2. *Qu'il fait chaud !*

atsui desu . .

3. *Allons-y.*

iki . . . . . .

Réponses : 1. - asoko -. 2. - ne. 3. - mashô.

Leçon 1

第二課
だい に か
da i ni ka
(daill' ni ka)

ピカソ 展
てん
pi ka so te n
(pikasso tèn')

1 - 見ました か。(1)
み
mi ma shi ta   ka
(mimach'ta ka)

2 - 何 を。
なに
na ni o
(nani o)

3 - ピカソ 展。(2)
てん
pi ka so   te n
(pikasso tèn')

4 - まだ です。
ma da de su
(mada dèss')

5 - いい です よ。(3)
i i de su   yo
(ïï dèss' yo)

6 - そう です か。(4)
sô   de su   ka
(soo dèss' ka)

7 あした 行きます。
い
a shi ta   i ki ma su
(ach'ta ikimass')

NOTES

(1) Ce か *ka*, nous allons le rencontrer bien souvent. Il est impossible de le traduire et, de toute façon, cela n'est pas nécessaire. Il indique simplement que la phrase qu'il termine est une question. Il vient toujours à la fin de la phrase et sans rien changer à l'ordre des mots.

L'exposition Picasso	**Deuxième leçon**
(Picasso-exposition)	(ième / deux / leçon)

1 — Avez-vous vu ?
(avoir regardé / [question])

2 — Quoi ?
(quoi / [objet])

3 — L'exposition Picasso.
(Picasso - exposition)

4 — Pas encore.
(pas encore / c'est)

5 — Elle est vraiment bien !
(être bien / c'est / [engagement])

6 — Ah bon ?
(ainsi / c'est / [question])

7   J'irai demain.
(demain / aller)

NOTES (suite)

(2) Le dernier hiragana de cette phrase : ん , est la seule exception à la règle syllabique : il ne transcrit pas une syllabe, mais un *n* seul, à la fin d'une syllabe.

(3) よ *yo*, une autre particule finale. Dans la première leçon, nous avons vu *ne* (né). よ *yo*, ici, apporte la nuance inverse : ce que j'exprime là c'est ma propre opinion, elle n'engage que moi : いい です よ ii desu yo (ii déss' yo) : = (moi, je trouve que) c'est bien ! Nous lui donnerons comme équivalent [engagement] dans la traduction décomposée.

(4) Nous avons parlé, dans l'introduction, des voyelles longues. Voici un exemple simple : *sô* (soo). L'écriture japonaise qui y correspond est そう . Là nous rencontrons une des rares conventions orthographiques qu'il nous faudra retenir : ces deux hiragana sont en fait : そ *so* et う qui se prononce *u* (ou) quand il est seul. Mais l'ensemble そう doit se prononcer *sô* (soo). Nous avons nous aussi, en français, des incohérences orthographiques, et pas des moindres !

れんしゅう
練習

renshû
(lèn'chuu)

1. 見ました か。
   mimashita ka
   (mimach'ta ka)

2. まだ 見ません。
   mada mimasen
   (mada mimassèn')

3. 見ました か。
   mimashita ka
   (mimach'ta ka)

4. 見ました。
   mimashita
   (mimach'ta)

5. そう です か。
   sô desu ka
   (soo dèss' ka)

ことば
…に 言葉 を 入れ なさい。

 ni koto ba o i re na sa i

(... ni kotoba o ilé nassaill')

Mettez, à l'endroit des points, les mots manquants.
(... / [lieu] / mot / [objet] / mettez)

1. *J'ai vu.*

   mimashi . .

****

Exercices

1. Vous l'avez vu ?
2. Pas encore.
3. Vous l'avez vu ?
4. Oui.
5. Ah bon !

---

2. *Avez-vous vu ?*

mimashita . .

3. *C'est vraiment bien !*

ii desu . .

4. *C'est bien ?*

ii desu . .

Réponses : **1.** – ta. **2.** – ka. **3.** – yo. **4.** – ka.

****

第三課
だいさんか
da i sa n ka
(daill' san.n' ka)

朝 食
ちょう しょく
chô shoku
(tchoochokou)

1 - おはよう　ございます。(1) (2)
　　o ha yô　　go za i ma su
　　(ohayoo gozaïmass')

2 - おはよう　ございます。(1) (2)
　　o ha yô　　go za i ma su
　　(ohayoo gozaïmass')

3 - パン　を　食べます　か。
た
　　pa n　　o　　ta be ma su　ka
　　(pan.n' o tabémass' ka)

4 - 食べます。
た
　　ta be ma su
　　(tabémass')

5 - コーヒー　を　飲みます　か。(3)
の
　　kô　hî　　o　no mi ma su　ka
　　(koohii o nomimass' ka)

6 - 飲みます。
の
　　no mi ma su
　　(nomimass')

7 - ビール　を　飲みます　か。(3)
の
　　bî　ru　o　no mi ma su　ka
　　(biilou o nomimass' ka)

8 - 飲みません。
の
　　no mi ma se n
　　(nomimassèn')

Le petit déjeuner
(petit déjeuner)

Troisième leçon
(ième / trois / leçon)

1 — Bonjour.

2 — Bonjour.

3 — Voulez-vous du pain ?
(pain / [objet] / manger / [question])

4 — Oui.
(manger)

5 — Voulez-vous du café ?
(café / [objet] / boire [question])

6 — Oui.
(boire)

7 — Voulez-vous de la bière ?
(bière / [objet] / boire / [question])

8 — Non.
(ne pas boire)

NOTES
(1) Il y a beaucoup de façons de dire ''bonjour'' en japonais. Cette formule-ci s'emploie quand on rencontre quelqu'un pour la première fois de la journée, dans la matinée.
(2) よう cf. leçon 2, note 4. よ = *yo*, う = *u* (ou), mais les deux assemblés, よう, correspondent à *yô* (yoo), avec un *o* long.
(3) Ce que nous avons dit à la note 2 n'est valable que pour les hiragana. Pour les katakana, on note les voyelles longues par un tiret : コ = *ko*, コー = *kô* (koo) ; ヒ = *hi*, ヒー = *hî* (hii), ビ = *bi*, ビー = *bî* (bii).

N'oubliez pas, vous n'essayez pas de retenir les kana ou les caractères chinois, vous essayez seulement de les identifier, de voir ''comment ça marche''. C'est à force de les voir que vous les retiendrez. Et cela viendra plus tôt que vous ne pouvez l'imaginer;

9- りんご を 食べます か。
ri n go   o   ta be ma su   ka
(lin'go o tabémass' ka)

10- 食べません。
ta be ma se n
(tabémassèn')

11- それでは 卵 を 食べます か。
so re de wa ta ma go o   ta be ma su   ka
(solédéoua tamago o tabémass' ka)

12- 食べます。
ta be ma su
(tabémass')

練習
renshû
(lèn'chuu)

1. コーヒー を 飲みます か。
kôhî o nomimasu ka
(koohii o nomimass' ka)

2. 飲みます。
nominasu
(nomimass')

3. コーヒー を 飲みます。
kôhî o nomimasu
(koohii o nomimass')

4. ビール を 飲みます か。
bîru o nomimasu ka
(biilou o nomimass' ka)

5. 飲みません。
nomimasen
(nomimassèn')

9 — Voulez-vous une pomme ?
    (pomme / [objet] / manger / [question])

10 — Non.
    (ne pas manger)

11 — Alors, voulez-vous des œufs ?
    (alors / œuf / [objet] / manger / [question])

12 — Oui.
    (manger)

Exercices
1. Voulez-vous du café ?
2. Oui.
3. Je bois du café.
4. Buvez-vous de la bière ?
5. Non.

…に 言葉 を 入れ なさい。

  ni koto ba o i re na sa i

(... ni kotoba o ilé nassaill')

Mettez, à l'endroit des points, les mots manquants.
(... / [lieu] / mot [objet] / mettez)

1. *Je mange des œufs.*

  tamago . tabemasu

13 jû san (djuu san.n')

2. *Voulez-vous du pain ?*

   pan o tabemasu ..

3. *Oui.*

   tabe . . . .

****

第四課

だいよんか
da i yo n ka
(daill' yon.n' ka)

税関

ぜいかん
ze i ka n
(zeill'kan.n')

1 - カメラ を 持って います か。(1)
ka me ra o mo t te i ma su ka
(kaméla o mot'té imass' ka)

2 - はい、 持って います。
ha i, mo t te i ma su
(haill', mot'te imass')

3 - どこ に あります か。
do ko ni a ri ma su ka
(doko ni alimass' ka)

4 - トランク の 中 に あります。
to ra n ku no na ka ni a ri ma su
(tolan.n'kou no naka ni alimass')

5 - トランク の 中 に 何 が
to ra n ku no na ka ni na ni ga
(tolan.n'kou no naka ni nani ga

あります か。
a ri ma su ka
alimass' ka)

4. *Buvez-vous du café ?*

kôhî o nomi . . . . ka

5. *Non.*

nomi . . . . .

Réponses : 1. - o -. **2.** - ka. **3.** - masu. **4.** - masu -. **5.** - masen.

****

A la douane	**Quatrième leçon**
(douane)	**(ième / quatre / leçon)**

1 — Avez-vous un appareil photo ?
   (appareil-photo / [objet] / posséder / [question])

2 — Oui, j'en ai un.
   (oui / posséder)

3 — Où est-il ?
   (où / [lieu] / se trouver / [question])

4 — Il est dans ma valise.
   (valise / [relation] / intérieur / [lieu] / se trouver)

5 — Qu'y a-t-il dans votre valise ?
   (valise / [relation] / intérieur / [lieu] / quoi / [sujet]
   / se trouver / [question])

NOTES

(1) Regardez bien ce mot 持って *motte* (mot'té). Nous y trouvons pour la première fois ces *tt* qui se suivent (cf. introduction, page VII). Dans l'écriture, ce redoublement est indiqué par le petit signe っ. C'est ce même petit signe qui servait à indiquer le redoublement de *k* dans le titre de la leçon 1 : だい いっか *dai ikka* (daill' ik'ka). Regardez aussi la phrase 11 : けっこう *kekkô* (kèk'koo). Et puis... trichez un peu et regardez le titre de la leçon 6 !

6 – 洋服 と 本 が あります。
yô fu ku to   ho n ga   a ri ma su
(yoofoukou to hon.n' ga alimass')

7 – それ だけ です か。
so re   da ke   de su   ka
(solé daké dèss' ka)

8 – はい、 そう です。
hà i,   sô   de su
(haill', soo dèss')

9 – お 酒?
o   sa ke
(o saké)

10 – ありません。
a ri ma se n
(alimassèn')

11 – はい、 けっこう です。
ha i,   ke k kô   de su
(haill', kèk'koo dèss')

練習
renshû
(lèn'chuu)

1. 洋服 を 持って います か。
yôfuku o motte imasu ka
(yoofoukou o mot'té imass' ka)

2. はい、 持って います。
hai, motte imasu
(haill' mot'té imass')

3. どこ に あります か。
doko ni arimasu ka
(doko ni alimass' ka)

4. あそこ に あります。
asoko ni arimasu
(assoko ni alimass')

6 — Il y a des vêtements et des livres.
(vêtements / et / livres / [sujet] / se trouver)

7 — C'est tout ?
(cela / seulement / c'est / [question])

8 — Oui, c'est tout.
(oui / ainsi / c'est)

9 — De l'alcool ?
([familiarité]-alcool)

10 — Je n'en ai pas.
(ne pas se trouver)

11 — Bon, ça va.
(oui / parfait / c'est)

それ だけ です か。

Exercices

1. Avez-vous des vêtements ?
2. Oui, j'en ai.
3. Où sont-ils ?
4. Ils sont là-bas.

…に 言葉 を 入れ なさい。
   ni koto ba o i re   na sa i
(... ni kotoba o ilé nassaill')

Mettez, à l'endroit des points, les mots manquants.
(... / [lieu] / mot / [objet] / mettez)

1. *Avez-vous des livres ?*

   hon o motte imasu . .

2. *J'ai une valise.*

   toranku . motte imasu

****

第五課   買物

da i go ka   ka i mo no
(daill' go ka)   (kaïmono)

1- どこ へ 行きます か。
   do ko e   i ki ma su ka
   (doko é ikimass' ka)
2- デパート へ 行きます。(1)
   de pâ to   e   i ki ma su
   (dépaato é ikimass')
3- 一緒 に 行きます。(2)
   i s sho ni i ki ma su
      (ich'cho ni ikimass')

NOTES
(1) パー *pâ* (paa). Vous vous souvenez (leçon 3, note 3),
le tiret est là simplement parce que le *a* est long, et qu'il
s'agit de katakana.

3. *Où est-elle ?*

. . . . ni arimasu ka

4. *Elle est là-bas.*

asoko ni ari . . . .

5. *Avez-vous un appareil photo ?*

kamera . motte imasu ka

6. *Non.*

motte ima . . .

Réponses : 1. - ka. 2. - o -. 3. doko -. 4. - masu. 5. - o -. 6. - sen.

* *

Les courses	Cinquième leçon
(courses)	(ième / cinq / leçon)

1 — Où allez-vous ?
   (où / [destination] / aller / [question])

2 — Je vais au grand magasin.
   (grand magasin / [destination] / aller)

3 — J'y vais avec vous.
   (ensemble / [adverbial] / aller)

NOTES (suite)

(2) Encore le petit っ, cette fois pour noter non plus *tt* ou *kk*, mais *shsh* : いっしょ *issho* (ich'cho). Regardez bien, le dernier hiragana est écrit lui aussi plus petit : ょ. Nous l'avons déjà rencontré dans la leçon 2, mais avec sa taille normale : よ = *yo*. Il n'est pas prévu, parmi les **46** signes du système des kana, de signes pour écrire les syllabes avec *sh* (ch) sauf pour *shi* (chi). Alors on doit trouver une convention orthographique qui consistera à écrire ce *shi* (chi) (し) plus un petit ょ *yo* (yo) par exemple, et cela donnera しょ = *sho* (cho).

Leçon 5

4 何 を 買います か。
na ni o ka i ma su ka
(nani o kaïmass' ka)

5 - 靴 下 を 買います。
ku tsu shi ta o ka i ma su
(koutsouchita o kaïmass')

6 - 着きました。
tsu ki ma shi ta
(tsoukimach'ta)

7 入りましょう。(3)
ha i ri ma shô
(haïlimachoo)

8 - ここ に 靴下 が あります。
ko ko ni ku tsu shi ta ga a ri ma su
(koko ni koutsouchita ga alimass')

9 - でも 高い です ね。
de mo ta ka i de su ne
(démo takaill' dèss' né)

10 - そう です ね。
sô de su ne
(soo dèss' né)

11 やめます。
ya me ma su
(yamémass')

4   Qu'est-ce que vous achetez ?
(quoi / [objet] / acheter / [question])

5 — J'achète des chaussettes.
(chaussettes / [objet] / acheter)

6 — Nous y sommes !
(être arrivé)

7   Entrons !

8 — Ici il y a des chaussettes !
(ici / [lieu] / chaussettes / [sujet] / se trouver)

9 — Mais c'est cher !
(mais / être cher / c'est / [accord])

10 — Oui alors !
(ainsi / c'est / [accord])

11   J'abandonne !
(abandonner)

NOTES (suite)

(3) 入りましょう *hairimashô* (haïlimachco). Est-ce que cela ne vous rappelle rien ? Cherchez du côté de la leçon 1. Mais oui : 行きましょう *ikimashô* (ikimachoo). Regardons bien la fin de ces deux mots : しょう. On a d'abord un *shi* (chi) (し), puis un petit *yo* (ょ), puis un *u* (う). D'après la note précédente, nous savons que しょ, *shi* (chi) plus petit *yo*, donne *sho* (cho). Si nous y ajoutons le う *(u)*, c'est tout simplement parce que le *ô* de *shô* (choo) est long : しょう = *shô* (choo).

* * * * *

練習
renshû
(lèn'chuu)

1. あそこ に 靴下 が あります。
   asoko ni kutsushita ga arimasu
   (assoko ni koutsouchita ga alimass')

2. ここ に トランク が あります。
   koko ni toranku ga arimasu
   (koko ni tolan.n'kou ga alimass')

3. どこ へ 行きます か。
   doko e ikimasu ka
   (doko e ikimass' ka)

4. 洋服 を 買います。
   yôfuku o kaimasu
   (yoofoukou o kaïmass')

5. どこ に あります か。
   doko ni arimasu ka
   (doko ni alimass' ka)

─────────

…に 言葉 を 入れ なさい。

  ni koto ba o   i re   na sa i

(... ni kotoba o ilé nassaill')

Mettez, à l'endroit des points, les mots manquants.
(... / [lieu] / mot / [objet] / mettez)

1. *Qu'est-ce que vous achetez ?*

   nani . kaimasu ka

2. *Qu'est-ce que vous mangez ?*

   . . . . o tabemasu ka

Exercices

1. Là-bas il y a des chaussettes.
2. Ici il y a des valises.
3. Où allez-vous ?
4. J'achète des vêtements.
5. Où y en a-t-il ?

3. *Où allez-vous ?*

   doko . ikimasu . .

4. *Je vais là-bas.*

   . . . . . . ikimasu

5. *C'est cher !*

   takai desu . .

Réponses : 1. - o -. 2. nani -. 3. - e - ka. 4. asoko e -. 5. - ne.

第六課
だいろっか
da i ro k ka
(daill' lok' ka)

東京タワー
とうきょう
tô kyô ta wâ
(tookyoo taouaa)

1 - 東京 タワー を 知って います
とうきょう　　　　　　　　　し
tô kyô ta wâ o shi t te i ma su
(tookyoo taouaa o chit'té imass'

か。(1)
ka
ka)

2 - はい、 知って います。
　　　　　し
ha i, shi t te i ma su
(haill', chit'té imass')

3 - ここ から どう 行きます か。
　　　　　　　　　　い
ko ko ka ra dô i ki ma su ka
(koko kala doo ikimass' ka)

4 - まず 目黒 駅 まで 歩きます。(2)
　　　めぐろ えき　　　　ある
ma zu me gu ro e ki ma de a ru ki ma su
(mazou mégoulo éki madé aloukimass')

5 近い です。
ちか
chi ka i de su
(tchikaill' dèss')

6 そこ から 渋谷 駅 まで
　　　　　　しぶや えき
so ko ka ra shi bu ya e ki ma de
(soko kala chibouya-éki madé

電車 で 行きます。(2) (3)
でんしゃ　　　い
den sha de i ki ma su
(dèn'cha dé ikimass')

La Tour de Tôkyô   **Sixième leçon**
(Tôkyô-tour)   **(ième / six / leçon)**

1 — Connaissez-vous la Tour de Tôkyô ?
     (Tôkyô-tour / [objet] / connaître / [question])

2 — Oui, je la connais.
     (oui / connaître)

3 — D'ici, comment y va-t-on ?
     (ici / à partir de / comment / aller / [question])

4 — D'abord, on va à pied jusqu'à la gare de Meguro.
     (d'abord / Meguro-gare / jusqu'à / marcher)

5   C'est tout près.
     (être près / c'est)

6   De là, on va en train jusqu'à la gare de Shibuya.
     (Là / à partir de / Shibuya-gare / jusqu'à / train /
     [moyen] / aller)

NOTES

(1) La Tour de Tôkyô est un genre de Tour Eiffel. Si elle
est plus haute (de quelques mètres), elle est aussi plus
récente (1958). Des foules de touristes, japonais et
étrangers, s'y pressent pour monter admirer le panorama.

(2) Meguro et Shibuya sont les noms de deux gares (et
de deux quartiers) situées à quelques minutes l'une de
l'autre sur l'une des deux grandes lignes de chemin de fer
qui desservent les principaux quartiers de Tôkyô.

(3) 電車 *densha* (dèn'cha). Dans la leçon 5, nous avons vu
(notes 2 et 3) comment s'écrivait *sho* (cho). *Sha* (cha)
s'écrira selon le même principe : *shi* (chi) + un petit *ya :*
しゃ = *sha* (cha). Pour les syllabes avec *sh*, nous
connaissons donc maintenant *shi* (chi) し , *sho* (cho) しょ
et *sha* (cha) しゃ .

7 それから 渋谷駅 から タワー
   so re ka ra shi bu ya e ki ka ra ta wâ
   (solékala shibouya éki kala taouaa

   まで バス で 行きます。
   ma de ba su de i ki ma su
   madé bassou dé ikimass')

8 タワー に 水族館 が あります。
   ta wâ   ni su i zo ku ka n ga a ri ma su
   (taouaa ni souïzokukan.n' ga alimass')

9 おもしろい です。
   o mo shi ro i de su
   (omochiloïll' dèss)

10 おみやげ の 店 も たくさん
   o mi ya ge no mi se mo ta ku sa n
   (omiyagué no missé mo takoussan.n'

   あります。
   a ri ma su
   alimass')

練習
renshû
(lèn'chuu)

1. タワー へ 行きます。
   tawâ e ikimasu
   (taouaa e ikimass')

2. 着きました。
   tsukimashita
   (tsoukimach'ta)

3. 入りました。
   hairimashita
   (haïlimach'ta)

4. タワー まで 歩きました。
   tawâ made arukimashita
   (taouaa madé aloukimach'ta)

7   Puis, de la gare de Shibuya à la Tour, on va en bus.
     (puis / Shibuya-gare / à partir de / Tour / jusqu'à
     / bus / [moyen] / aller)

8   Dans la Tour il y a un aquarium.
     (Tour / [lieu] / aquarium / [sujet] / se trouver)

9   Il est intéressant.
     (être intéressant / c'est)

10   Il y a aussi de nombreuses boutiques de
     souvenirs.
     (cadeau / [relation] / commerce / aussi /
     beaucoup / se trouver)

5. タワー に 店 が たくさん あります。
   tawâ ni mise ga takusan arimasu
   (taouaa ni missé ga takoussan.n´ alimass')

Exercices

1. Je vais à la Tour.
2. Je suis arrivé.
3. Je suis entré.
4. J'ai marché jusqu'à la Tour.
5. A la Tour il y a beaucoup de magasins.

…に 言葉 を 入れ なさい。

   ni koto ba o i re na sa i

(... ni kotoba o ilé nassaill')

Mettez, à l'endroit des points, les mots manquants.
(... / [lieu] / mot / [objet] / mettez)

1. *Je vais à Meguro.*

  meguro . ikimasu

2. *Je suis allé à Meguro.*

  meguro e iki . . . .

****

第七課   まとめ

da i na na ka   **ma to me**
(daill' nana ka)   **(matomé)**

Arrêtons-nous un peu après ces six leçons et regardons ce que nous avons déjà appris. Vous allez être étonné.

1. Les verbes. Vous avez sans doute remarqué qu'il y avait bien des ressemblances. Récapitulons :

Leçons 2, 5, 6   行きます *ikimasu* (ikimass')
Leçon 3   食べます *tabemasu* (tabémass')
Leçon 3   飲みます *nomimasu* (nomimass')
Leçons 4, 5, 6   あります *arimasu* (alimass')
Leçon 5   買います *kaimasu* (kaïmass')
Leçon 6   歩きます *arukimasu* (aloukimass')

Eh bien, cette forme qui se termine par ます *masu* (mass') est la forme la plus habituelle de TOUS les verbes pour TOUTES LES PERSONNES du PRESENT, et très souvent

3. *Je suis allé de Meguro à Shibuya.*

meguro . . . . shibuya made ikimashita

4. *Je suis allé de Shibuya à la Tour de Tôkyô.*

shibuya kara tôkyô-tawâ . . . . iki . . . .

5. *J'y vais en bus.*

basu . . ikimasu

6. *Allons-y en bus.*

basu de iki . . . . .

Réponses : 1. - e -. 2. - mashita. 3. - kara -. 4. - made - mashita. 5. - de -. 6. - mashô.

****

Révision et notes   **Septième leçon**
                                                   (ième / sept / leçon)

pour le futur (cf. leçon 2, phrase 7). Nous avons déjà vu aussi pour certains la forme négative équivalente : il suffit d'y remplacer ます *masu* (mass') par ません *masen* (massèn') :

たべます *tabemasu* (tabémass') "je (... ils) mange".
たべません *tabemasen* (tabémassèn') "je (... ils) ne mange pas".
のみます *nomimasu* (nomimass') "je (... ils) bois".
のみません *nomimasen* (nomimassèn') "je (... ils) ne bois pas".
かいます *kaimasu* (kaïmass') "j' (... ils) achète".
かいません *kaimasen* (kaïmassèn') "je (... ils) n'achète pas".
Et vous pouvez trouver vous-même les formes négatives pour les autres.

Puis, nous avons vu encore une autre série avec des ressemblances : 見ました *mimashita* (mimach'ta) leçon 2, phrase 1 ; わかりました *wakarimashita* (ouakalimach'ta) leçon 1, phrase 3 ; 着きました *tsukimashita* (tsoukimach'ta) leçon 5, phrase 6. Ici, pour exprimer le passé, on a remplacé ます *masu* (mass') par ました *mashita* (mach'ta).

N'oublions pas non plus leçon 1, phrase 2 : 行きましょう *ikimashô* (ikimachoo), et leçon 5, phrase 7, 入りましょう *hairimashô* (haïlimachoo).

Ici, c'est ましょう *mashô* (machoo) qui remplace ます *masu* (mass'). Et la forme ainsi obtenue sert à exprimer un ordre qu'on se donne à soi-même ou éventuellement à ceux qui vous accompagnent : "allons !", "entrons !".

Voilà déjà, après ces leçons, quatre formes fondamentales des verbes, que vous pouvez, si vous le voulez, construire pour tous les verbes que nous avons vus. C'est déjà un beau résultat, non ?

2. Une attention spéciale pour あります *arimasu* (alimass'), leçons 5 et 6. Ce verbe est un peu particulier. Il équivaut à notre "il y a", mais en réalité il veut dire "se trouver, exister (à tel endroit)" et ne peut s'employer que dans le cas d'objets inanimés (pour les êtres vivants, il y aura un autre verbe). A retenir, sa construction : "il y a des magasins : 店 が あります *mise ga arimasu* (missé ga alimass') où 店 *mise* (missé) est le sujet de あります *arimasu* (alimass'). "Des magasins existent (à cet endroit)".

3. Puisque nous parlons de sujet, avez-vous remarqué que, à part justement pour あります *arimasu* (alimass'), dans aucune des phrases il n'y a de sujet ? Là où en français nous disons "je, vous...", en japonais on n'a rien. Il existe pourtant des mots correspondants. Mais ceci est une des clés du japonais : **la langue japonaise**

n'exprime pas le sujet, tant que cela n'est pas indispensable à la compréhension.

Si quelqu'un vous regarde et vous demande : ビール を 飲みます か *bîru o nomimasu ka* (biirou o nomimass' ka) (bière / [objet] / boire / [question]), et ne donne aucune autre indication, il est évident que c'est vous que la question concerne, il n'est pas besoin de la préciser davantage. Cette phrase voudra automatiquement dire : "voulez-**vous** de la bière ?". Si votre interlocuteur voulait poser cette question au sujet d'une autre personne, alors il emploierait le nom de cette personne comme sujet. Dans votre réponse, il se passe le même phénomène. Si la réponse est à votre propos, il est évident que ce sera "je...". Et 飲みます *nomimasu* (nomimass') suffira pour dire : "**je bois**".

4. Pour répondre "oui", il faut noter que l'on répond rarement par simplement un mot qui voudrait dire "oui" (même chose pour "non"), mais on répète le verbe à sa forme affirmative (négative si c'est "non"). Pour donner plus de force à la réponse, on peut aussi employer en même temps que le verbe le mot はい *hai* (haill'), qui signifie "oui", cf. leçon 4, phrase 2 : はい、持って います *hai, motte imasu* (haill', mot'té imass') "oui, j'en ai un", et leçon 6, phrase 2 : はい、知って います *hai, shitte imasu* (haill', chit'té imass') "oui, je sais". Mais はい *hai* n'est pas obligatoire.

5. Dans l'introduction, nous avions parlé de 10 particules enclitiques, vous savez bien, ces petites syllabes qui indiquent la fonction du mot qui les précède. Eh bien, sans nous en apercevoir, nous en avons déjà rencontré et utilisé 7, à plusieurs reprises :
を   *o* (leçons 2, 3, 4, 5, 6) pour le complément d'objet ;
が   *ga* (leçons 4, 5, 6) pour le sujet ;

に   *ni* (leçons 4, 5, 6) pour le complément de lieu : l'endroit où **se trouve** quelque chose ;

へ   *e* (leçons 1, 5) pour indiquer l'endroit où l'on se rend ;

で   *de* (leçon 6) pour le complément de moyen ;

から *kara* (leçon 6) qui exprime toujours le point de départ : à partir de, de ;

まで *made* (leçon 6) qui fait le pendant de *kara* et exprime le point d'arrivée : jusqu'à.

Bien sûr vous n'avez pas encore tout retenu, mais ne vous inquiétez pas, nous n'avons pas fini de les voir !

6. Dans les notes de chaque leçon, nous avons beaucoup parlé d'écriture. Mais en six leçons nous avons déjà vu les points d'orthographe les plus délicats. Ceux-là aussi, nous allons les revoir sans cesse, alors il suffit de faire juste un peu attention. Récapitulons-les :

● Le hiragana ん qui transcrit un *n* tout seul à la fin d'une syllabe (leçon 2, note 2).

● Le う *u* (ou) qui sert, dans le cas des hiragana, à indiquer que le *o* de la syllabe précédente est long (leçon 2, note 4) : そう *sô* (soo).

****

第八課(1)　　　　　映画
dai hak ka　　　　　ei ga
(daill' hak' ka)　　　**(eill'ga)**

1 - 昨日　何　を　しました　か。
kinô nani o shi ma shi ta ka
(kinoo nani o chimach'ta ka)

2 - 友　達　が　来ました。
tomo dachi ga　ki ma shi ta
(tomodatchi ga kimach'ta)

● Le tiret dans le cas des katakana, qui sert à indiquer que la voyelle qui précède est longue (leçon 3, note 3).
● Le petit つ qui sert à indiquer que la consonne qui suit est doublée : いっか *ikka* (ik'ka), もって *motte* (mot'té), いっしょ *issho* (ich'cho) (leçon 4, note 1, leçon 5, note 2).
● La manière de noter le *sh* (ch) devant une voyelle autre que i : し *shi* (chi) + un petit *yo* ou un petit *ya* : しょ *sho* (cho), しゃ *sha* (cha) (leçon 5, note 2, leçon 6, note 3).

Nous avons beaucoup parlé d'écriture dans les notes et dans la leçon de révision. Mais, tranquillisez-vous, cela ne va pas durer ! Dans ces 7 leçons, nous avons déjà repéré presque tous les cas un peu particuliers d'emploi des kana. De toute façon, pour l'instant, il ne s'agit pas de savoir tout ça par cœur, mais seulement de comprendre, pour lire facilement les leçons suivantes. Vous verrez, lorsque vous arriverez à la prochaine leçon de révision, ces manières d'écrire vous paraîtront tout à fait évidentes..., et, à la leçon de révision suivante, vous n'y penserez même plus ! Attention pour la prononciation : ... les voyelles longues !

****

Le cinéma   **Huitième leçon**
(cinéma)   **(ième / huit / leçon)**

1 — Qu'est-ce que vous avez fait hier ?
     (hier / quoi / [objet] / avoir fait / [question])

2 — Un ami est venu.
     (ami / [sujet] / être venu)

NOTES
(1) Toujours ce petit つ (un hiragana qui normalement se prononce tsou quand il a sa taille normale), pour indiquer que le *k* qui suit est redoublé (cf. leçon 7, par. 6).

Leçon 8

3 一緒 に 映画 に 行きました。
is sho   ni   ei ga   ni   i ki ma shi ta
(ich'cho ni eill'ga ni ikimach'ta)
(2) (3) (4)

4 - 何 の 映画 を 見ました か。(5)
nan   no   ei ga   o   mi ma shi ta   ka
(nan.n' no eill'ga o mimach'ta ka)

5 - アメリカ の 映画 を 見ました。
a me ri ka   no   ei ga   o   mi ma shi ta
(amélika no eill'ga o mimach'ta)

6 チャップリン の 「モダン・
cha p pu ri n   no   mo da n.
(tchap'plin' no modan.n'

タイムズ」 を 見ました。(6)
ta i mu zu   o   mi ma shi ta
taill'mz' o mimach'ta)

3   Nous sommes allés ensemble au cinéma.
      (ensemble / [adverbial] / cinéma / [but] / être allé)
4 —   Qu'est-ce que vous avez vu comme film ?
      (quoi / [relation] / film / [objet] / avoir regardé /
      [question])
5 —   Nous avons vu un film américain.
      (Amérique / [relation] / film / [objet] / avoir
      regardé)
6   Nous avons vu "les temps modernes" de Chaplin.
      (Chaplin / [relation] / Les temps modernes /
      [objet] / avoir regardé)

NOTES (suite)
(2) Parmi les particules enclitiques (cf. leçon 7, par. 5),
c'est ce petit mot-là に *ni*, qui va nous causer le plus de
soucis. Mais... c'est relatif. D'ici à la prochaine leçon de
révision, nous en aurons presque fait le tour ! C'est que
ce に *ni* a beaucoup d'emplois différents. Ici, avec le mot
一緒 *issho* (ich'cho), il sert à fabriquer une expression
qui fonctionne exactement comme un adverbe français :
一緒 に *issho ni* (ich'cho ni) : "ensemble".
(3) 映画 *eiga* (eill'ga). Le japonais a un seul mot là où en
français nous en avons deux. 映画 *eiga* veut dire soit "un
film", soit "le cinéma", en général, vu comme une
activité.
(4) C'est toujours le même に *ni*, mais cette fois, il suit un
nom qui exprime une activité 映画 *eiga* (eill'ga), "le
cinéma" et précède un verbe qui exprime un déplacement
行きました *ikimashita* (ikimach'ta), "être allé". Dans ce
cas, に *ni* sert à indiquer que cette activité est le but du
déplacement.
(5) Ce mot 何 "quoi", se trouve sous deux formes : なに
nani (cf. phrase 1) mais aussi, comme ici, なん *nan*
(nan.n'), devant の *no*.
(6) Les crochets servent comme les guillemets en
français, à citer un titre de livre, de film, de magazine, une
marque de produits...

Leçon 8

7 - おもしろかった です か。
o mo shi ro ka t ta de su ka
(omochilokat'ta dèss' ka)

8 - わかりません。
wa ka ri ma se n
(ouakalimassèn')

9 眼鏡 を 忘 れました。
めがね   わす
me gane o wasu re ma shi ta
(mégané o ouassoulémach'ta)

10 よく 見えません でした。(7)
み
yo ku mi e ma se n de shi ta
(yokou miémassèn' dèch'ta)

———————

練習
れんしゅう

renshû
(lèn'chuu)

1. 友達 と 一緒 に 買物 に 行きました。
ともだち   いっしょ   かいもの   い
tomodachi to issho ni kaimono ni ikimashita
(tomodatchi to ich'cho ni kaill'mono ni ikimach'ta)

2. 何 を 買いました か。
なに   か
nani o kaimashita ka
(nani o kaïmach'ta ka)

3. 映画 の 本 を 買いました。
えいが   ほん   か
eiga no hon o kaimashita
(eill'ga no hon.n' o kaïmach'ta)

4. 眼鏡 を 買いました か。
めがね   か
megane o kaimashita ka
(mégané o kaïmach'ta ka)

5. 買いません でした。
か
kaimasen deshita
(kaïmassèn' dèch'ta)

7 — C'était bien ?
(était intéressant / c'est / [question])

8 — Je ne sais pas.

9 J'avais oublié mes lunettes.
(lunettes / [objet] / avoir oublié)

10 Je ne voyais pas bien.
(bien / ne pas avoir vu)

NOTES (suite)

(7) Une nouvelle forme de verbe. Tout simplement l'équivalent négatif de ました *mashita* (mach'ta) : よく 見えました *yoku miemashita* (yokou miémach'ta), "je voyais bien", よく 見えません でした。*yoku miemasen deshita* (yokou miémassèn' dèch'ta) : "je ne voyais pas bien".

———————

Exercices

1. Je suis allé faire des courses avec un ami.
2. Qu'est-ce que vous avez acheté ?
3. J'ai acheté un livre sur le cinéma.
4. Avec-vous acheté des lunettes ?
5. Non.

———————

…に 言葉 を 入れ なさい。
  ni koto ba o i re   na sa i
(... ni kotoba o ilé nassaill')

1. *Avez-vous vu des films de Chaplin ?*

   chappurin . . . . . . o mimashita ka

2. *Est-ce que vous avez bien vu ?*

   . . . . mie . . . . ka

3. *Qu'est-ce que vous avez acheté comme livre ?*

. . . . . hon o kaimashita ka

4. *Un ami est venu.*

tomodachi . . . . mashita

****

第九課(1)　　中華　料理(1)

だいきゅう か　　　　　　ちゅう か　りょう り

dai kyû ka　　　　　chû ka　　ryô ri
(daill' kyuu ka)　　　　　　(tchuuka lyooli)

1 – 今晩　中華　料理　を　食べましょう

こんばん　ちゅうか　りょうり　　　　た

kon ban chû ka　ryô ri　o　ta be ma shô
(kon.n'ban.n' tchuuka lyooli o tabémachoo

か。(2)
ka
ka)

2 – ああ、　いい　です　ね。

a a,　　i i　de su　ne
(aa ïi dèss' né)

NOTES

(1) Nous rencontrons ici le dernier point d'orthographe un peu délicat. Il y a de nombreuses syllabes avec ce qu'on appelle une semi-voyelle. Une semi-voyelle c'est, par exemple, le i de rien, de tiens, de viens. Dans notre leçon, le y de kyû, de ryô. Nous pouvons écrire *yu* ou *yo* avec des kana (le système syllabique) : *yu* : ゆ , *yo* : よ . Mais nous ne pouvons pas écrire *k* ou *r* tout seul ! Là encore les Japonais ont inventé une convention, en jouant sur la taille des caractères. On prendra le kana pour *ki* ou *ri* : き ou り , et on le fera suivre de *yu* ゆ ou *yo* よ , mais écrits plus petits. Donc on écrira : *kyu* : きゅ, *kyo* : きょ, *ryu* :

5. *Je n'y suis pas allé.*

iki . . . .

Réponses : 1. - no eiga -. **2.** yoku - mashita -. **3.** nan no -. **4.** - ga ki -. **5.** - masen deshita.

****

Au restaurant chinois   **Neuvième leçon**
(Chine - cuisine)   **(ième / neuf / leçon)**

1 — On va au restaurant chinois ce soir ?
     (ce soir / Chine-cuisine / [objet] / mangeons /
     [question])

2 — Ah ! quelle bonne idée !
     (ah / être bien / c'est / [accord])

NOTES (suite)

りゅ, *ryo* : りょ. Et comme dans le cas présent les voyelles *u* et *o* sont longues : *kyû, ryô*, on indiquera cette longue à l'aide du kana う *(u)* (cf. leçon 2, note 4) : *kyû* きゅう, *ryô* : りょう.

Pour *chû* (tchuu), se pose le problème de noter *ch* (tch) devant une voyelle autre que *i*. Cela ne vous rappelle rien ? Regardez à la leçon 5, nous avions le même problème avec *sh* (ch). On aura la même solution : un grand *chi* (tchi) : ち et un petit *yu* ゅ, *yu* ょ ou *ya* ゃ. *Chu* (tchu) ちゅ, *cho* (tcho) ちょ, *cha* (tcha) ちゃ. Et si le *u* ou le *o* est long : *chû* ちゅう, *chô* ちょう.

(2) 料理 *ryôri* (lyooli). Un mot qui veut dire ''la cuisine'', au sens de ''la manière de préparer des aliments''. Mais on emploie souvent ce mot aussi, là où en français nous parlons plutôt de ''restaurant'', avec le nom de tel ou tel pays : 中華 料理 *chûka ryôri* (tchuuka lyooli), ''cuisine chinoise'', ou ''restaurant chinois'', 日本 料理 *nihon ryôri* (nihon.n' lyooli, avec h aspiré !), ''cuisine japonaise'', ou ''restaurant japonais''.

Leçon 9

3 中華 料理 が 大好き です。
chû ka rŷo ri ga dai su ki desu
(tchuuka Iyooli ga daill'souki dèss')

4 - 私 も。
watakushi mo
(ouatakouchi mo)

5 スープ と 肉 と 魚 を
sû pu to niku to sakana o
(sououpou to nikou to sakana o

とりましょう。(3)
to ri ma shô
tolimachoo)

6 - そう です ね。
sô de su ne
(soo dèss' né)

7 - お 箸 で 食べます か。(4)
o hashi de ta be ma su ka
(o hachi dé tabémass' ka)

8 - いいえ、 フォーク で 食べます。
i i e, fô ku de ta be ma su
(iïyé, fookou dé tabémass')

(3)

9 - おねがい します。 フォーク を
o ne ga i shi ma su. fô ku o
(onégaï chimass') (fookou o

下さい。
kuda sa i
koudassaill')

10 - はい、 どうぞ。
ha i, dô zo
(haill', doozo)

3   J'adore la cuisine chinoise !
        (Chine-cuisine / [sujet] / très aimé / c'est)

4 — Moi aussi !
        (moi / aussi)

5   Nous prendrons un potage, de la viande et du poisson.
        (potage / et / viande / et / poisson / [objet] / prenons)

6 — Oui.
        (ainsi / c'est / [accord])

7 — Vous mangez avec des baguettes ?
        ([familiarité]-baguettes / [moyen] / manger / [question])

8 — Non, je mange avec une fourchette.
        (non / fourchette / [moyen] / manger)

9 — S'il vous plaît ! Une fourchette.
        (s'il vous plaît) (fourchette / [objet] / donnez)

10 — Oui, voici.

NOTES (suite)

(3) Vous vous rappelez ? Ce petit tiret, juste pour indiquer que dans ces mots étrangers, en katakana, la voyelle est longue.

(4) 箸 *hashi* (hachi) tout seul veut dire ''baguettes''. Pourquoi お 箸 *o hashi* ? Très souvent, les mots qui expriment les objets les plus quotidiens sont précédés de ce petit お *o,* comme une espèce de signe de familiarité.

Ne vous inquiétez pas de ce déluge de notes. Il ne va pas durer ! Mais c'est que nous avons encore quelques comptes à régler avec l'écriture, et qu'en même temps nous commençons à faire des phrases un peu plus difficiles ! ...Mais c'est promis, la prochaine leçon de révision sera la dernière où nous parlerons en détail de ces questions d'orthographe. Après, ce ne seront plus que des rappels.

Leçon 9

11- ありがとう。
a ri ga tô
(aligatoo)

12 おいしい です か。
o i shi i de su ka
(oïchïi dèss' ka)

13- とても おいしい です。
to te mo o i shi i de su
(totémo oïshïi dèss')

14- また 来ましょう。
ma ta ki ma shô
(mata kimachoo)

———————

練習
renshû
(lèn'chuu)

1. テレビ が 大好き です。
terebi ga daisuki desu
(télébi ga daill'souki dèss')

2. とても 暑い です ね。
totemo atsui desu ne
(totémo atsouï dèss' né)

3. 昨日 スープ と 魚 を 食べました。
kinô sûpu to sakana o tabemashita
(kinoo sououpou to sakana o tabémach'ta)

4. フォーク で 食べません。
fôku de tabemasen
(fookou dé tabémasèn')

5. お 箸 を 下さい。
o hashi o kudasai
(o hachi o koudassaill')

11 — Merci.

12   Est-ce que c'est bon ?
      (être bon / c'est / [question])

13 — C'est délicieux !
      (très / être bon / c'est)

14 — Nous reviendrons.
      (de nouveau / venons)

中華料理　が　大好き　です。

私も。

Exercices

1. J'adore la télé.
2. Il fait très chaud !
3. Hier j'ai mangé du potage et du poisson.
4. Je ne mange pas avec une fourchette.
5. Des baguettes, s'il vous plaît.

…に 言葉 を 入れ なさい。
  ni   koto ba o   i re   na sa i
  (... ni kotoba o ilé nassaill')

1. *J'adore la viande.*

   niku . . daisuki desu

2. *On mange le poisson avec une fourchette.*

   sakana . fôku . . tabe . . . .

3. *C'est très bon.*

. . . . . . oishii desu

4. *Du pain, s'il vous plaît.*

pan o . . . .

5. *Demain je vais au restaurant chinois.*

ashita chûka ryôri . . . .

****

<ruby>第十課<rt>だいじゅっか</rt></ruby>(1)

第十課(1)
dai juk ka
(daill' djuk' ka)

テレビ
te re bi
(télébi)

1 - お 相撲 を 見ました か。(2)
    o   su mô   o   mi ma shi ta   ka
    (o soumoo o mimach'ta ka)

よく テレビ を 見ます か。

2 - はい、 テレビ で 見ました。
    ha i,   te re bi   de   mi ma shi ta
    (haill', télébi dé mimach'ta)

6. *Bonne idée !*

. . desu   . .

Réponses : **1.** - ga -. **2.** - o - de - masu. **3.** totemo - . **4.** - kudasai. **5.** - ni ikimasu. **6.** ii - ne.

****

La télévision   **Dixième leçon**
(télévision)   **(ième / dix / leçon)**

1 — Avez vous vu du sumô ?
([familiarité]-sumô / [objet] / avoir regardé / [question])

2 — Oui, j'en ai vu à la télévision.
(oui / télévision / [moyen] / avoir regardé)

NOTES

(1) じゅ *ju* (dju). Comme pour *shu* (chu) et *chu* (tchu), un grand *ji* じ et un petit *yu* ゆ. Ensuite, rappelons-nous, un petit っ＋か pour kka. Pour じ, nous transcrirons dji dans la prononciation figurée, mais le d est à peine prononcé.

(2) Le sumô est un sport, ou plutôt un sport-spectacle très populaire au Japon. Ne l'exercent que des professionnels. La première règle du jeu est de peser le plus lourd possible ! Et ce sont de vraies montagnes qui s'affrontent. On est bien loin des petits Japonais fluets,... et plus près des 150 kilos et plus. La lutte se passe dans un cercle de dimensions restreintes, deux lutteurs, face à face. Il s'agit de pousser l'autre hors du cercle. La télévision retransmet beaucoup de ces "matches", et les champions sont de vraies stars !

お 相撲 *o sumô*, nous retrouvons notre petit お *o* de familiarité (cf. leçon 9, note 4).

3 - また お 相撲 の シーズン
ma ta o su mô no shî zu n
(mata o soumoo no chiizoun

です ね。
de su ne
dèss' né)

4 - そう です ね。
sô de su ne
(soo dèss' né)

5 - よく テレビ を 見ます か。
yo ku te re bi o mi ma su ka
(yokou télébi o mimass' ka)

6 - 時々 見ます。(3)
toki doki mi ma su
(tokidoki mimass')

7 - テレビ で 何 を 見ます か。
te re bi de nani o mi ma su ka
(télébi dé nani o mimass' ka)

8 - ニュース と ホーム・ドラマ を
nyû su to hô mu. do ra ma o
(nyuussu to hoomou.dolama o

見ます。(4)
mi ma su
mimass')

9 - どちら が 好き です か。(5)
do chi ra ga su ki de su ka
(dotchila ga souki dèss' ka)

10- どちらも 好き です。
do chi ra mo su ki de su
(dotchilamo souki dèss')

NOTES (suite)

(3) On emploie ce petit signe 々 pour éviter de répéter deux fois de suite le même kanji (caractère chinois). Ici, c'est comme si on avait 時時 *tokidoki*.

3 — C'est de nouveau la saison du sumô.
(de nouveau / [familiarité]-sumô / [relation] /
saison / c'est / [accord])

4 — C'est vrai !
(ainsi / c'est / [accord])

5 — Vous regardez souvent la télévision ?
(souvent / télévision / [objet] / regarder /
[question])

6 — Quelquefois.
(quelquefois / regarder)

7 — Qu'est-ce que vous regardez à la télévision ?
(télévision / [moyen] / quoi / [objet] / regarder /
[question])

8 — Je regarde les informations et les feuilletons.
(informations / et / feuilletons / [objet] / regarder)

9 — Qu'est-ce que vous préférez ?
(lequel des deux / [sujet] / aimé / c'est /
[question])

10 — J'aime les deux.
(les deux / aimé / c'est)

NOTES (suite)

(4) ホーム・ドラマ . Home-drama : peu d'acteurs, peu
de décors, beaucoup de sentiments et beaucoup de
larmes : ce sont les home-drama, feuilletons d'un quart
d'heure (parfois d'une heure), diffusés par la télévision en
milieu de journée, et qui retracent des drames familiaux :
problèmes dans un couple, entre des parents et un
enfant, etc.

(5) どちら *dochira* (dotchila), littéralement : "lequel parmi
les deux côtés". Ce mot sert, comme ici, avec un adjectif,
pour poser une question consistant à comparer les
mérites de deux objets. On n'a même pas besoin, alors,
d'employer un mot qui voudrait dire "le plus", comme
vous le voyez bien dans cette phrase.

Leçon 10

練習
renshû
(lèn'chuu)

1. どちら が 高い です か。
   dochira ga takai desu ka
   (dotchila ga takaill' dèss' ka)

2. よく テレビ を 見ます。
   yoku terebi o mimasu
   (yokou télébi o mimass')

3. テレビ で 映画 を 見ました。
   terebi de eiga o mimashita
   (télébi dé eill'ga o mimach'ta)

4. テレビ が 大好き です。
   terebi ga daisuki desu
   (télébi ga daill'souki dèss')

5. テレビ の ニュース が 好き です。
   terebi no nyûsu ga suki desu
   (télébi no nyuussu ga souki dèss')

———————

…に 言葉 を 入れ なさい。
  ni koto ba o i re na sa i
(... ni kotoba o ilé nassaill')

1. *Regardez-vous souvent le sumô ?*

   o sumô . . . . ka

****

Exercices

1. Lequel des deux est le plus cher ?
2. Je regarde souvent la télévision.
3. J'ai vu un film à la télévision.
4. J'adore la télévision.
5. J'aime les informations télévisées.

---

2. *Je regarde les informations et les films.*

. . . . eiga o mimasu

3. *Lequel des deux est le plus près ?*

. . . . chikai desu ka

4. *Je l'ai vu à la télévision.*

. . . . mimashita

5. *Ah bon ?*

. . . desu ka

Réponses : **1**. - o yoku mimasu -. **2**. nyûsu to -. **3**. dochira ga -. **4**. terebi de -. **5**. a sô -.

****

第十一課
だいじゅういっか
dai jû ik ka
(daill' djuu ik' ka)

朝
あさ
asa
(assa)

1 - 朝 何 時 に 起きます か。(1)
あさ なん じ お
asa nan ji ni o ki ma su ka
(assa nan.n' dji ni okimass' ka)

2 - 十 一 時 に 起きます。(1)
じゅう いち じ お
jû ichi ji ni o ki ma su
(djuu itchi dji ni okimass')

3 - 遅い です ね。
おそ
oso i de su ne
(ossöill' dèss' né)

4 夜 何 時 に 寝ます か。
よる なん じ ね
yoru nan ji ni ne ma su ka
(yolou nan.n' dji ni némass' ka)

5 - 夜中 の 三 時 に 寝ます。
よ なか さん じ ね
yo naka no san ji ni ne ma su
(yonaka no san.n' dji ni némass')

6 でも 今日 は 十 時 に
きょう じゅう じ
de mo kyô wa jû ji ni
(démo kyoo oua djuu dji ni

起きました。
お
o ki ma shi ta
okimach'ta)

Le matin   **Onzième leçon**
(matin)   (ième / dix-un / leçon)

1 — Vous vous levez à quelle heure le matin ?
(matin / quoi-heure / [temps] / se lever / [question])

2 — Je me lève à onze heures.
(dix-un-heure / [temps] / se lever)

3 — C'est tard !
(être tard / c'est / [accord])

4   Le soir, vous vous couchez à quelle heure ?
(nuit / quoi-heure / [temps] / dormir / [question])

5 — Je me couche à trois heures du matin.
(pleine nuit / [relation] / trois heure / [temps] / dormir)

6   Mais aujourd'hui je me suis levé à dix heures.
(mais / aujourd'hui / [renforcement] / dix-heure / [temps] / s'être levé)

NOTES

(1) Eh oui... c'est encore ce に *ni*. Cette fois-ci, il s'emploie avec un mot de temps. Il sert à indiquer à quel moment se passe l'action : 何 時 に *nan ji ni* (nan.n' dji ni), "à quelle heure". 十 一 時 に *jû ichi ji ni* (djuu itchi dji ni), "à 11 heures". 三 時 に *san ji ni* (san.n dji ni), "à 3 heures".

7 - それでも 遅い です ね。
so re de mo   oso i   de su   ne
(solédémo ossöill' dèss' né)

8 - 午後 から 夜中 まで バー で
go go   ka ra   yo naka   ma de   bâ   de
(gogo kala yonaka madé baa dé

働いて います。(2) (3)
hatara i te   i ma su
hatalaïté imass')

9 - それなら わかります。
so re na ra   wa ka ri ma su
(solénala ouakalimass')

10   大変 です ね。
tai hen   de su   ne
(taill'hèn dèss' né)

––––––––––––

練習
renshû
(lèn'chuu)

1. 夜 早く 寝ます。
yoru hayaku nemasu
(yolou hayakou némass')

2. 昨日 早く 起きません でした。
kinô hayaku okimasen deshita
(kinoo hayakou okimassèn' dèch'ta)

3. 八 時 に 起きます。
hachi ji ni okimasu
(hatchi dji ni okimass')

4. どこ で 働いて います か。
doko de hataraite imasu ka
(doko dé hatalaïté imass' ka)

5. 何 時 に 買物 に 行きます か。
nan ji ni kaimono ni ikimasu ka
(nan.n' dji ni kaill'mono ni ikimass' ka)

7 — C'est tout de même tard !
   (tout de même / être tard / c'est / [accord])

8 — Je travaille dans un bar de l'après-midi jusque tard
   le soir.
   (après-midi / depuis / pleine nuit / jusqu'à / bar /
   [lieu] / travailler)

9 — Dans ce cas, je comprends !
   (dans ce cas / être compréhensible)

10 C'est terrible !
   (terrible / c'est / [accord])

NOTES (suite)

(2) 働いて います *hataraite imasu* (hatalaïté imass').
Pour la première fois, nous avons affaire ici à un exemple
de l'autre grande série de formes des verbes. Jusqu'à
maintenant c'était le modèle ⋯⋯ます ...*masu* (mass'),
avec ses variations (cf. leçon 7, par. 1). Le second
modèle, ce seront ces formes⋯⋯て います...*te imasu* (té
imass') et variations. Elles indiquent que l'action décrite
par le verbe est en train de se faire au moment où l'on
parle. (バー で) はたらいて います.*bâ de hataraite i
masu* (baa dé hatalaïté imass'), ''je travaille'', au sens de
''je suis employé dans tel endroit'' ; ''actuellement, au
moment où je parle, je suis employé (dans un bar)''.
(3) Nous avions vu て *de* (dé) servant à indiquer le moyen
(cf. leçon 6, phrase 7). Ici nous trouvons un autre emploi
de て *de* (dé) pour indiquer le lieu où se passe une action.

––––––––––

6. テレビ を 見ませんか。
   terebi o mimasen ka
   (télébi o mimassèn' ka)

Exercices

1. Le soir je me couche de bonne heure.
2. Hier je ne me suis pas levé tôt.
3. Je me lève à 8 heures.
4. Où travaillez-vous ?
5. A quelle heure allez-vous faire des courses ?
6. Ne regardez-vous pas la télévision ?

…に 言葉 を 入れ なさい。
　　ni koto ba o　i re　na sa i
(... ni kotoba o ilé nassaill')

1. *Je travaille dans un magasin.*

   mise . . hataraite imasu

2. *A quelle heure vous levez-vous ?*

   . . . . . . okimasu . .

****

第十二課
だいじゅうにか
dai jû ni ka
(daill' djuu ni ka)

喫茶店
きっさてん
kis sa ten
(kiss'satènn')

1 - こんにち は。(1)
　　ko n ni chi　wa
　　(kon.n'nitchi oua)

2 - こんにち は。
　　ko n ni chi　wa
　　(kon.n'nitchi oua)

3 - あそこ の 喫茶店 へ
きっさてん
　　a so ko　no　kis sa ten　　e
　　(assoko no kiss'satèn' é

行きましょう。
い
i ki ma　shô
ikimachoo)

3. *Vous couchez-vous de bonne heure ?*

. . . . . . nemasu ka

4. *Mon ami vient à une heure.*

tomodachi ga . . . . kimasu

5. *Qu'est-ce que vous faites le soir ?*

. . . . shimasu ka

Réponses : **1**. - de -. **2**. nan ji ni - ka. **3**. hayaku -. **4**. - ichi ji ni -. **5**. yoru nani o -.

****

Au café	**Douzième leçon**
(café)	(ième / dix-deux / leçon)

1 — Bonjour !

2 — Bonjour !

3 — Allons dans ce café !
(là-bas / [relation] / café / [destination] / allons)

NOTES
(1) Voici une autre formule pour se saluer. Nous avions vu おはよう ございます *ohayô gozaimasu* (ohayoo gozaïmass') (cf. leçon 3, note 1). こんにち は *konnichi wa* (kon.n'nitchi oua), c'est lorsqu'on se rencontre, une fois passé le matin, le reste de la journée.

*****

4 - いらっしゃいませ。(2)
　　i　ras sha　i ma se
　　(ilach'chaïmassé)

5 - 山田 さん は 何 に します
　　yama da　san　wa　nani　ni　shi ma su
　　(yamada san.n' oua nani ni chimass'

　　か。(3) (4)
　　ka
　　ka)

6 - 私 は コーヒー。(5)
　　watashi wa　kô hî
　　(ouatachi oua koohii)

7 - じゃあ、 コーヒー と ビール を
　　jaa,　　　kô hî　　to　bî ru　o
　　(djaa, koohii to biilou o

　　下さい。
　　kuda sa i
　　koudassaill')

こんにち は。

8 お 菓子 を 食べましょう か。
　o ka shi　o　ta be ma shô　ka
　(o kachi o tabémachoo ka)

9 - いいえ、 けっこう です。(6)
　　i i e,　　kek kô　de su
　　(iiyé, kèk'koo dèss')

4 — Bonjour !

5 — Qu'est-ce que vous prenez ?
(Yamada-Mme / [annonce] / quoi / [but] / faire / [question])

6 — Pour moi ce sera un café.
(moi / [annonce] / café)

7 — Bien, un café et une bière, s'il vous plaît.
(bien / café / et / bière / [objet] / donnez)

8 On prend des gâteaux ?
([familiarité]-gâteaux / [objet] / mangeons / [question])

9 — Non, pas pour moi, merci.
(non / parfait / c'est)

NOTES (suite)

(2) C'est la formule consacrée par laquelle les garçons de café ou les serveurs de restaurant, ou les vendeurs des magasins, accueillent le client. Littéralement ''veuillez entrer''.

(3) Ce mot さん *san* (san.n') doit suivre obligatoirement le nom propre des personnes à qui vous vous adressez ou de qui vous parlez, mais jamais le vôtre. Pour parler de soi, on dit seulement son nom, tout court. En général, hors de la famille, on n'emploie pas de terme équivalent à ''vous'' ou ''tu'', mais on s'adresse aux autres en citant leur nom.

(4) Encore et toujours に *ni*. Ici nous prendrons l'expression en bloc :…に します …*ni shimasu* (ni chimass') : ''se décider pour (quelque chose)'', ''choisir (quelque chose)''.

(5) 私 Nous avons vu comme prononciation : *watakushi* (ouatakouchi) (leçon 9, phrase 4), la plus normale. Ici : *watashi* (ouatachi) est plus familier, et surtout employé par les femmes. Le sens reste toujours le même : ''je, moi''.

(6) C'est l'expression la plus habituelle pour refuser. Littéralement : ''C'est parfait comme cela, je n'ai besoin de rien de plus''.

10- 本当 です か。
ほんとう
hon tô de su ka
(hon.n'too dèss' ka)

11- ええ、 本当 に けっこう です。
ほんとう
e e, hon tô ni ke k kô de su.
(éé, hon.n'too ni kek'koo dèss')

今 ダイエット を して います。(7)
いま
ima da i e t to o shi te i ma su
(ima daillèt'to o chité imass')

12- ああ、 そう です か。 いつ
a a, sô de su ka. i tsu
(aa, soo dèss'ka) (itsou

から。
ka ra
kala)

13- 昨日 から。
きのう
kinô ka ra
(kinoo kala)

_____

練習
れんしゅう
renshû
(lèn'chuu)

1. お 菓子 も 食べます。
   か し   た
   o kashi mo tabemasu
   (o kachi mo tabémass')

2. コーヒー が 好き です か。
   す
   kôhî ga suki desu ka
   (koohii ga souki dèss' ka)

3. 大好き です。
   だい す
   daisuki desu
   (daill'souki dèss')

10 — Vraiment ?
(vrai / c'est / [question])

11 — Oui, vraiment. En ce moment je suis au régime.
(oui / vrai / [adverbial] / parfait / c'est)
(maintenant / régime / [objet] / faire)

12 — Ah bon ! Depuis quand ?
(ah / ainsi / c'est / [question]) (quand / depuis)

13 — Depuis hier.
(hier / depuis)

NOTES (suite)

(7) ···して います*shite imasu* (chité imass') (cf. leçon 11, note 2), ''je suis en train de faire'', ''actuellement, au moment où je parle, je fais...''.

———

4. あそこ の 店 で カメラ を 買いました。
   asoko no mise de kamera o kaimashita
   (assoko no missé dé kaméla o kaïmach'ta)

5. いつ から 働いて います か。
   itsu kara hataraite imasu ka
   (itsou kala hatalaïté imass' ka)

6. わかりません。
   wakarimasen
   (ouakalimassèn')

Exercices

1. Je prendrai aussi des gâteaux.
2. Aimez-vous le café ?
3. Je l'adore.
4. J'ai acheté un appareil photo dans ce magasin là-bas.
5. Depuis quand travaillez-vous ?
6. Je ne sais pas.

*****

…に 言葉 を 入れ なさい。
ni koto ba o i re na sa i
(... ni kotoba o ilé nassaill')

1. *Bonjour.*

. . . .

2. *Achetons-nous aussi des pommes ?*

ringo . . kai . . . . . ka

3. *Je vais à ce magasin là-bas.*

. . . . mise e ikimasu

****

第十三課　　　　約束
dai jû san ka　　　　　**yaku soku**
(daill' djuu san.n' ka)　　(yakoussokou)

1 - 今朝 フランス 人 の 友達
kesa fu ra n su jin no tomo dachi
(késsa foulan.n'soudjin' no tomodatchi

を デパート の 前で 一
o de pâ to no mae de ichi
o dépaato no maé dé itchi

時間 待ちました。(1) (2)
ji kan ma chi ma shi ta
djikan.n' matchimach'ta)

2 - 随分 待ちました ね。
zui bun ma chi ma shi ta ne
(zouiboun' matchimach'ta né)

4. *Jusqu'à quand faites-vous votre régime ?*

. . . . made daietto o shimasu ka

5. *Quand est-il venu ?*

. . . . kima . . . . . ka

6. *Aimez-vous le cinéma ?*

eiga . . . . ka

.**Réponses :** **1.** konnichi wa. **2.** - mo - mashô -. **3.** asoko no -.
4. itsu -. **5.** itsu - shita -. **6.** - ga suki desu -.

****

Le rendez-vous	**Treizième leçon**
(rendez-vous)	(ième / dix-trois / leçon)

1 — Ce matin j'ai attendu mon ami français pendant
une heure devant le grand magasin.
(ce matin / France-être humain / [relation] / ami /
[objet] / grand magasin / [relation] / devant / [lieu]
/ un-heure / avoir attendu)

2 — Vous avez attendu longtemps !
(beaucoup / avoir attendu / [accord])

NOTES
(1) Décidément, après le に *ni,* c'est le の *no !* Celui-là
aussi a beaucoup de fonctions différentes. Dans notre
phrase, il sert à mettre en apposition : フランス人
の友達 *furansujin no tomodachi* (fouran.n'sou djin' no
tomodatchi) : ''un ami (qui est) Français''.
(2) Un rappel : l'emploi de で *de* (dé) pour indiquer le lieu
où se passe une action (cf. leçon 11, note 3).

Leçon 13

3 - はい。
ha i
(haill')

4 - 来ました か。
き
ki ma shi ta ka
(kimach'ta ka)

5 - いいえ、 来ません でした。(3)
き
i i e, ki ma se n de shi ta
(iïyé) (kimassèn' déch'ta)

6 - どう した の でしょう。
dô shi ta no de shô
(doo ch'ta no déchoo)

7 - わかりません。
wa ka ri ma se n
(oukalimassén')

8 - こまりました ね。
ko ma ri ma shi ta ne
(komalimach'ta né)

9 - ええ、 買物 が できません
かいもの
e e, kai mono ga de ki ma se n
(éé). (kaill'mono ga dékimassèn'

でした。
de shi ta
déch'ta)

10 今晩 友達 に 電話 を します。
こんばん ともだち でん わ
kon ban tomo dachi ni den wa o shi ma su
(kon.n'ban.n' tomodatchi ni dèn'oua o chimass')
(4)

3 — Oui.

4 — Il est venu ?
    (être venu / [question])

5 — Non, il n'est pas venu.
    (non / ne pas être venu)

6 — Comment cela se fait-il ?
    (comment / être fait / on peut penser que)

7 — Je ne sais pas.
    (ne pas savoir)

8 — C'est ennuyeux !
    (être ennuyé / [accord])

9 — Eh oui, je n'ai pu faire mes courses.
    (oui / achats / [sujet] / ne pas avoir été possible)

10   Je lui téléphonerai ce soir.
     (ce soir / ami / [attribution] / téléphone / [objet] /
     faire)

随分 待ちました ね。

NOTES (suite)

(3) Cf. leçon 8, note 7.

(4) Nous avons, en français, toute une batterie de
pronoms personnels pour éviter de répéter plusieurs fois
de suite le même nom. En japonais, on ne se complique
pas tant la vie... on répète, tout simplement !

Notons au passage un autre emploi de に *ni,* ici, pour la
personne qui est destinataire de l'action.

練習
renshû
(lèn'chuu)

1. 買物 が できました か。
   kaimono ga dekimashita ka
   (kaill'mono ga dékimach'ta ka)

2. アメリカ人 の 友達 が 来ました。
   amerikajin no tomodachi ga kimashita
   (amélikadjin' no tomodatchi ga kimach'ta)

3. デパート の 中 で 待ちました。
   depâto no naka de machimashita
   (dépaato no naka dé matchimach'ta)

4. 何 時間 待ちました か。
   nan jikan machimashita ka
   (nan.n' djikan.n' matchimach'ta ka)

5. わかりません。
   wakarimasen
   (ouakalimassèn')

6. デパート に 行きません でした。
   depâto ni ikimasen deshita
   (dépaato ni ikimassèn' dèch'ta)

…に 言葉 を 入れ なさい。

   ni koto ba o i re na sa i
   (... ni kotoba o ilé nassaill')

1. *J'ai attendu devant un magasin.*

   mise . . . . machimashita

* *

Exercices

1. Avez-vous pu faire vos achats ?
2. Mon ami américain est venu.
3. J'ai attendu dans le grand magasin.
4. Combien d'heures avez-vous attendu ?
5. Je ne sais pas.
6. Je ne suis pas allé au grand magasin.

---

2. *Savez-vous faire la cuisine chinoise ?*

   chûka ryôri . . . . ka

3. *Votre ami américain est-il venu ?*

   amerika . . . . . tomodachi ga kimashita ka

4. *Ce soir je vais en bus au cinéma.*

   . . . . . . basu . . eiga . . ikimasu

5. *Je n'ai pas attendu.*

   machi . . . .

6. *J'ai attendu deux heures.*

   ni . . . . . machimashita

Réponses : 1. - no mae de -. **2.** - ga dekimasu -. **3.** - jin no -.
4. konban - de - ni -. **5.** - masen deshita **6.** - jikan -.

*****

N'oubliez pas de lire le japonais à voix haute. Vous apprenez à parler, pas à marmotter !

****

<ruby>第<rt>だい</rt>十<rt>じゅう</rt>四<rt>よん</rt>課<rt>か</rt></ruby>　　　　　　　　　　まとめ

dai jû yon ka　　　　　　　　　　ma to me
(daill' djuu yon.n' ka)　　　　　　　　(matomé)

Déjà la quatorzième leçon ! Vous voyez, on avance... Et une petite pause vous fera du bien.

1. Nous allons en profiter pour régler une bonne fois pour toutes ces histoires d'orthographe. Dans les leçons, nous avons rencontré ces syllabes un peu compliquées, comme *kyô, ryô, kyû, chû, jû...* En fait, ces syllabes ne sont pas du vrai japonais d'origine, mais la façon dont les Japonais ont adapté les mots chinois, quand ils ont emprunté l'écriture (rappelez-vous, introduction page XIII). On a deux cas :

● *sh* (ch) + *a, o, u* et *ch* (tch) + *a, o, u*. Dans les kana, il existe seulement *shi* し et *chi* ち , mais pas *sha, sho, shu,* ni *cha, cho, chu*. On utilise donc *shi* し et *chi* ち , en les faisant suivre d'un petit *ya, yo* ou *yu* や、 よ、 ゅ、 :

sha しゃ　　　　sho しょ　　　　shu しゅ
cha ちゃ　　　　cho ちょ　　　　chu ちゅ

et si le *o* ou le *u* est long : *shô* しょう, *shû* しゅう, *chô* ちょう, *chû* ちゅう.

● les syllabes comme *kyô, kyû; ryô ryû* etc. c'est-à-dire une consonne + *y* + *o* ou *u* (*a* est très rare). On prendra le kana qui sert à écrire la syllabe formée par cette consonne et *i : ki, ri* き、 り, et on ajoute des petits *yo* ou *yu* よ、 ゅ.

kyo きょ　　　kyu きゅ　　　ryo りょ　　　ryu りゅ

et si le *o* ou le *u* est long :

kyô きょう　　kyû きゅう　　ryô りょう　　ryû りゅう

et ainsi avec n'importe quelle consonne, par exemple *hyô* ひょう, *nyû* にゅう .

2. Et maintenant un petit test pour voir si vous êtes curieux...

Révision et notes

Quatorzième leçon
(ième / dix-quatre / leçon)

Reprenons la phrase 9 de la leçon 10 :

どちら が 好き です か *dochira ga suki desu ka*
(dotchila ga souki dèss' ka)

et regardons les deux hiragana soulignés. Le premier c'est GA, le deuxième c'est KA. Vous ne trouvez pas qu'ils ont un air de famille ? Leur forme est identique : か avec seulement deux petits point "en plus" pour GA. Ces deux petits points, nous les trouvons aussi dans les hiragana soulignés en pointillés : ど *do* et で *de* (dé). Et si vous regardez d'autres phrases, vous trouverez ces petits points par-ci, par-là. L'aviez-vous remarqué ? C'est un des moyens que les Japonais ont mis au point (...s !) pour utiliser plus largement chaque système de 46 signes que sont les hiragana et les katakana (cf. introduction, page XII). On reprend les kana qui servent à noter une syllabe où la consonne est sourde : *ka, ta, shi, ho...* か、た、 し、ほ、, en hiragana ; カ、タ、シ、ホ、, en katakana, et en rajoutant simplement deux petits points ", on indique par là que la syllabe commence par la consonne sonore correspondante : が ガ *ga*, だ ダ *da*, じ ジ *ji*, ぼ ボ *bo*. Cf. aussi leçon 8, phrase 6, le titre du film de Chaplin, "Les temps modernes" :

モダン・タイムズ *modan.tamuzu.*

Pour indiquer que la syllabe commence par un p, on utilise les kana qui servent à transcrire les syllabes commençant par h et on ajoute un petit rond. Les mêmes kana servent donc là trois fois. C'est économique ! :

ha は ハ *ba* ば バ *pa* ぱ パ
hi ひ ヒ *bi* び ビ *pi* ぴ ピ
etc.

Vous trouverez un tableau complet pages 313 et 314.

Leçon 14

3. Un petit tour du côté des particules enclitiques, pour récapituler les emplois que nous avons déjà trouvés pour に *ni* et で *de* (dé). Deux pour で *de* (dé): indiquer le moyen (cf. leçon 13, phrase 6) バス で 来ました *basu de kimashita* (bassou **dé** kimach'ta) "il est venu (au moyen de) en bus"; et indiquer le lieu où se passe une action (leçon 13, phrase 1):

デパート の 前 で 待ちました
depâto no mae **de** *machimashita*
(dépaato no maé dé matchimach'ta)

"J'ai attendu devant le grand magasin". L'action c'est "attendre", le lieu "devant le grand magasin".

Cinq pour *ni*!:

● le lieu où quelque chose existe (cf. leçon 6, phrase 8).

● pour former un adverbe: 一緒 に *issho ni* "ensemble".

● une activité qui est le but d'un déplacement (cf. leçon 8, phrase 3)

映画 に 行きました
eiga **ni** *ikimashita*
(eill'ga ni ikimach'ta)

"nous sommes allés au cinéma", où "cinéma" ne veut pas dire "une salle de cinéma", mais "le cinéma" comme activité.

● la personne qui est le destinataire d'une action (cf. leçon 13, phrase 10):

友達 に 電話 を します
tomodachi **ni** *denwa o shimasu*
(tomodatchi ni dèn'oua o chimass')

"je téléphone à mon ami".

● pour indiquer l'heure (cf. leçon 11, phrases 1, 2, 4, 5, 6).

En gros, tout ce qui sert à marquer un quelconque point de repère précis dans le temps ou dans l'espace, la manière d'effectuer une action.

4. Il y a certainement une petite phrase que vous avez déjà retenue, même sans le vouloir ! car elle est revenue bien souvent, c'est : そう です か *sô desu ka* (soo dèss' ka). Dans la traduction mot à mot, vous avez vu que cela signifiait : そう ainsi, です c'est, か [question]. En réalité, c'est devenu une expression toute faite que les Japonais emploient sans cesse pour simplement montrer à l'interlocuteur qu'ils écoutent ce qu'il dit. C'est comme notre : ''Ah oui ?'', ''Ah bon ?''... Parfois on varie un peu : そう です ね *sô desu ne* (soo dèss' né) ; c'est plus fort, là on prend vraiment parti, on montre son accord (cf. leçon 1, note 4). Si on est avec un interlocuteur qui est un familier, on abrège : そう か、 そう ね *sô ka, sô ne* (soo ka, soo né), mais ce n'est pas conseillé envers des gens qu'on connaît peu, ou à qui on ne peut pas taper sur l'épaule si facilement !... Il sera inévitable que dans les dialogues, nous rencontrions souvent cette expression. Nous n'en donnerons plus qu'une traduction globale, avec la nuance correspondante, selon la situation. La traduction mot à mot ne sera plus indiquée.

Vous allez maintenant commencer le troisième ensemble de sept leçons, vous êtes bien parti, et déjà certainement vous commencez à avoir de nombreux points de repère. C'est exactement comme cela qu'il faut continuer. **Ne cherchez surtout pas à retenir : comprenez.** *.Observez bien comment les phrases sont bâties, repérez chaque mot à l'aide de la traduction décomposée entre parenthèses. Le principal pour l'instant c'est de voir comment ''ça fonctionne''. Bien sûr, les phrases sont complètement à l'envers par rapport aux nôtres et c'est un peu difficile à suivre, mais le système est très logique ; presque toujours : un mot, puis une particule enclitique pour indiquer sa fonction. C'est ça qu'il vous faut bien repérer. Ne vous en faites pas pour l'écriture ; continuez à lire tranquillement en essayant là aussi de bien repérer les kana, quel kana correspond à quelle syllabe ; laissez vos*

Leçon 14

yeux faire leur travail tout seuls et s'habituer petit à petit.
Si vous avez parfois des hésitations, vous avez les tableaux
des pages 313-314 auxquels vous pouvez toujours vous
référer.

****

第十五課　　　　　　　　　紹介
だいじゅう ご か　　　　　　　　　　しょうかい

dai jû go ka　　　　　　　　shô kai
(daill' djuu go ka)　　　　　　(chookaill')

1 – 小林　道子と　申します。
こばやし　みち こ　　　　もう
ko bayashi michi ko to　mô shi ma su
(kobayachi mitchiko to moochimass')

2 　東京　に　住んで　います。
とうきょう　　　す
tô kyô　ni　su n de　i ma su
(tookyoo ni soundé imass')

3 　三　年　前　に　結婚　しました。
さん　ねん　まえ　　けっこん
san nen mae　ni　kek kon shi ma shi ta
(san.n' nèn' maé ni kèk'kon.n' chimach'ta)

4 　子供　が　二人　います。
こ ども　　ふ たり
ko domo ga　futari　i ma su
(kodomo ga f'tali imass')

5 　女　の　子と　男　の　子
おんな　　こ　　おとこ　　こ
onna　no ko to　otoko　no ko
(on'na no ko to otoko no ko

です。
de su
dèss')

6 – お嬢さん　は　いくつ　です　か。
じょう
o jô sa n　wa　i ku tsu　de su　ka
(odjoosan.n' oua ikoutsou dèss' ka)

(1) (2)

Mais n'essayez pas de vous forcer à retenir. Regardez, repérez, comprenez, et c'est en faisant cela que vous apprenez déjà, sans vous en rendre compte.

****

Présentation   **Quinzième leçon**
(ième / dix-cinq / leçon)

1 — Je m'appelle KOBAYASHI Michiko.
    (Kobayashi / Michiko / [citation] / s'appeler)

2   J'habite à Tôkyô.
    (Tôkyô / [lieu] / habiter)

3   Je me suis mariée il y a trois ans.
    (trois-an-avant / [temps] / mariage-avoir fait)

4   J'ai deux enfants.
    (enfant / [sujet] / deux personnes / exister)

5   Une fille et un garçon.
    (fille / et / garçon / c'est)

6 — Quel âge a votre fille ?
    (votre fille / [annonce] / combien / c'est / [question])

NOTES

(1) お嬢さん *o jô san* (odjoo san.n'). Ce mot ne peut s'employer que pour parler de l'enfant de quelqu'un d'autre, jamais pour son propre enfant. Il désigne un enfant de sexe féminin et peut s'employer même pour une jeune fille de 20 ans.

(2) Il serait temps de parler de cette petite particule は *wa* (oua) que nous avons plusieurs fois déjà rencontrée, par-ci, par-là. Elle va nous causer quelques soucis, car elle ne ressemble à rien de ce que nous utilisons dans notre langue française.
Pour commencer, il faut remarquer qu'elle se prononce "oua" alors qu'elle s'écrit avec le hiragana は qui se

Leçon 15

7 - 今 十 五 歳 です。

ima jû go sai de su

(ima djuu go saill' dèss')

8 - え？

e

(é!)

9 - はい。 実 は 三 年 前 に

ha i. jitsu wa san nen mae ni

(haill') (djitsou oua san.n' nèn' maé ni

再婚 しました。(2)

sai kon shi ma shi ta

saill'kon.n' chimach'ta)

10- お坊ちゃん は いくつ です か。

o bot cha n wa i ku tsu de su ka

(obot'tchan.n' oua ikoutsou dèss' ka)

(3)

11- まだ 一 歳 です。

ma da is sai de su

(mada iss' saill' dèss')

NOTES (suite)

prononce, autrement, toujours *ha* (avec h aspiré...). C'est un des deux cas où un hiragana a deux prononciations différentes (l'autre étant le へ qui se prononce *he* (h aspiré) sauf quand c'est la particule qui indique la destination et qui se prononce "é"). Cette particule は *wa* (oua) a deux emplois. Le premier (leçon 12, phrases 5 et 6), lorsqu'elle se trouve après un nom ou un pronom, en tête de phrase, c'est de servir à "poser", à "annoncer" ce dont on va parler, sans que cela crée aucun des liens grammaticaux que nous connaissons. Littéralement,

7 — Elle a maintenant 15 ans.
(maintenant / dix-cinq-an / c'est)

8 — Hein !

9 — Oui. En réalité, il y a trois ans, je me suis remariée.
(oui) (réalité / [renforcement] / trois-an-avant /
[temps] / remariage-avoir fait)

10 — Et votre petit garçon, il a quel âge ?
(votre petit garçon / [annonce] / combien / c'est
/ [question])

11 — Il n'a encore qu'un an.
(encore / un-an / c'est)

NOTES (suite)

お嬢さん は いくつ です か。
o jôsan **wa** *ikutsu desu ka*
(odjoosan.n' oua ikoutsou dèss' ka)
serait : ''**parlons de** votre fille ; elle a quel âge ?''.

私 は コーヒー
watakushi **wa** *kôhî* (ouatakoushi oua koohii),
voudrait dire : **(parlons de)** moi, (je prendrai) un café
(leçon 12, phrase 6). Nous appellerons cet emploi
[annonce]. Le second emploi, après un adverbe, c'est de
rendre plus fort le sens de cet adverbe. Nous appellerons
cet emploi [renforcement]. C'est celui que nous rencontrons à la phrase 9 de cette leçon.
Voilà, c'est fini ! L'explication était un peu longue. Mais
cette particule は *wa* (oua) est une des clés du japonais.
Bien comprendre à quoi elle correspond, c'est avoir déjà
franchi une grande étape. Alors vous voyez, vous êtes sur
le bon chemin !
(3) お坊ちゃん *obotchan* (obot'tchan.n'). Cf. note **(1)**. Ici
encore ce mot ne peut désigner que l'enfant de quelqu'un
d'autre. Mais on ne l'emploie que pour parler d'un petit
garçon, c'est-à-dire jusque vers 13, 14 ans.

練習
れん しゅう

renshû
(lèn'chuu)

1. 女 の 子 が います。
   おんな　こ
   onna no ko ga imasu
   (on'na no ko ga imass')

2. いくつ です か。
   ikutsu desu ka
   (ikoutsou dèss' ka)

3. 六 歳 です。
   ろく　さい
   roku sai desu
   (lokou saill' dèss')

4. 今 どこ に 住んで います か。
   いま　　　　　す
   ima doko ni sunde imasu ka
   (ima doko ni soundé imass' ka)

5. 二 年 前 に この カメラ を
   に　ねん　まえ
   ni nen mae ni kono kamera o kaimashita
   (ni nèn' maé ni kono kaméla o kaïmach'ta)

   買いました。
   か

…に 言葉 を 入れ なさい。
　　こと ば　　　い

ni ·koto ba o i re   na sa i
(... ni kotoba o ilé nassaill')

1. *Quel âge a votre fils ?*

   obotchan wa . . . . ka

2. *Quinze ans.*

   jû go . . . .

Exercices

1. J'ai une fille.
2. Elle a quel âge ?
3. 6 ans.
4. Où habitez-vous maintenant ?
5. Il y a deux ans j'ai acheté cet appareil-photo.

今 十五歳 です。

---

3. *J'habite à Tôkyô.*

   tôkyô . . . . imasu

4. *J'ai deux filles.*

   onna no ko . . . . imasu

5. *J'ai acheté ces lunettes il y a 5 ans.*

   kono megane . . . . kaimashita

Réponses : 1. - ikutsu desu -. **2.** - sai desu. **3.** - ni sunde -. **4.** - ga futari -. **5.** - o go nen mae ni -.

Leçon 15

第十六課
だいじゅうろっか
dai jû rok ka
(daill' djuu lok' ka)

日曜日
にちようび
nichi yô bi
(nitchiyoobi)

1 – 今日 は 日曜日 です。(1)
きょう　　　にちようび
kyô wa nichi yô bi de su
(kyoo oua nitchiyoobi dèss')

2 お 天気 が いい です ね。
　　てんき
o ten ki ga i i de su ne
(o tèn'ki ga ïi dèss' né)

3 ピクニック に 行きましょう か。
　　　　　　　　　　い
pi ku ni k ku ni i ki ma shô ka
(pikounik'kou ni ikimachoo ka)

4 – いい です ね。
i i de su ne
(ïi dèss' né)

5 田中 さん と 山本 さん を
たなか　　　　　やまもと
ta naka sa n to yama moto sa n o
(tanaka san.n' to yamamoto san.n' o

誘いましょう。(2)
さそ
saso i ma shô
sassoïmachoo)

6 – ああ それ は いい 考え です
　　　　　　　　　　　　かんが
a a so re wa i i kanga e de su
(aa solé oua ïi kan'gaé dèss'

ね。
ne
né)

7 – どこ へ 行きましょう か。
　　　　　　い
do ko e i ki ma shô ka
(doko é ikimachoo ka)

Dimanche **Seizième leçon**
(ième / dix-six / leçon)

1 — Aujourd'hui c'est dimanche.
(aujourd'hui / [annonce] / dimanche / c'est)

2 Il fait beau !
([familiarité]-temps / [sujet] / être bien / c'est / [accord])

3 Si nous faisions un pique-nique !
(pique-nique / [but] / allons / [question])

4 — Oh oui, d'accord !
(être bien / c'est / [accord])

5 Si nous invitions M. Tanaka et Mlle Yamamoto !
(Tanaka-M. / et / Yamamoto-Mlle / [objet] / invitons)

6 — Ah, c'est une bonne idée !
(Ah / cela / [annonce] / être bien / idée / c'est / [accord])

7 — Où allons-nous ?
(où / [destination] / allons / [question])

ピクニック に 行きましょう か。

NOTES
(1) Cf. leçon 15, note 2.
(2) Ce mot さん *san* (san.n') doit toujours suivre le nom de la personne dont on parle, sans distinction d'âge ou de sexe. Mais il ne s'emploie **jamais** pour soi-même (regardez leçon 15, phrase 1).

8 - 江ノ島 は いかが です か。(3)
e no shima wa i ka ga de su ka
(énochima oua ikaga dèss' ka)

9 何 を 持って 行きましょう か。
nani o mo tte i ki ma shô ka
(nani, o mot'té ikimachoo ka)

10- サンド・ウィッチ に お 寿司 に
sa n do. u i t chi ni o su shi ni
(san.n'do. ouitchi ni o soushi ni

みかん に お 菓子。(4) (5)
mi ka n ni o ka shi
mikan.n' ni o kashi)

11 子供 の ため に ジュース も
ko domo no ta me ni jû su mo
(kodomo no tamé ni djuussu mo

持って 行きましょう。
mo tte i ki ma shô
mot'té ikimachoo)

12- 田中 さん と 山本 さん に
ta naka sa n to yama moto sa n ni
(tanaka san.n' to yamamoto san.n' ni

すぐ 電話 を かけましょう。
su gu den wa o ka ke ma shô
sougou dèn'oua o kakémachoo)

13- はい。 おねがい します。(6)
ha i. o ne ga i shi ma su
(haill') (onégaï chimass')

8 — Que diriez-vous d'Enoshima ?
   (Enoshima / [annonce] / comment / c'est /
   [question])

9   Qu'est-ce que nous emportons ?
   (quoi / [objet] / emporter / allons / [question])

10 — Des sandwiches, des sushi, des mandarines, des
   gâteaux.
   (sandwich / [addition] / [familiarité]-sushi /
   [addition] / mandarine / [addition] / [familiarité]-
   gâteau)

11   Nous emporterons aussi des jus de fruits pour les
   enfants.
   (enfants / [relation] / à l'intention de / jus de fruits
   / aussi / emporter / allons)

12 — Je téléphone tout de suite à M. Tanaka et Mlle
   Yamamoto.
   (Tanaka-M. / et / Yamamoto-Mlle / [attribution]
   / tout de suite / téléphone / [objet] / faire
   fonctionner)

13 — Oui. S'il vous plaît.

NOTES (suite)

(3) Enoshima est une petite île (*shima* veut dire "île"), de
4 km de pourtour, située dans la baie de Sagami au sud
de Tôkyô, près de Kamakura qui est un des lieux favoris
de villégiature des habitants de la capitale.

(4) Ce に *ni* n'aura pas fini de nous surprendre. Le revoilà
encore, dans un autre emploi ! Ici, il sert à relier les
éléments d'une liste, sans verbe à la fin. C'est ce に *ni*
que l'on utilise quand on passe une commande au
restaurant. Comme si on additionnait des objets.

(5) お　寿司 *o sushi* (o soushi). Repérons au passage le
お *o* de familiarité. Le sushi est un des plats les plus
typiquement japonais. Il s'agit de fines lamelles de
poisson cru, que l'on mange sur une boulette de riz. Un
très bon sushi coûte très cher, car il est de plus en plus
difficile, au Japon, de trouver du poisson frais de qualité !

(6) C'est l'expression habituelle pour toute demande.

Leçon 16

練習
renshû
(lèn'chuu)

1. 今日 は お 天気 が いい です ね。
   kyô wa o tenki ga ii desu ne
   (kyoo oua o tèn' ki ga ii dèss' né)

2. サンド・ウィッチ を 持って 行きましょう。
   sandouittchi o motte ikimashô
   (san.n'doouitchi o mot'té ikimachoo)

3. 山本 さん の 友達 を 誘いましょう。
   yamamoto san no tomodachi o sasoimashô
   (γamamoto san.n' no tomodatchi o sassoïmachoo)

4. 小林 さん の ため に 買いました。
   kobayashi san no tame ni kaimashita
   (kobayachi san.n' no tamé ni kaïmach'ta)

5. すぐ 行きましょう。
   sugu ikimashô
   (sougou ikimachoo)

…に 言葉 を 入れ なさい。
ni koto ba o ire na sa i
(... ni kotoba o ilé nassaill')

1. J'ai téléphoné à M. Yamada.

yamada . . . . kakemashita

****

Exercices

1. Il fait très beau aujourd'hui !
2. J'emporte des sandwiches.
3. Invitons l'ami de M. Yamamoto.
4. Je l'ai acheté pour Mme Kobayashi.
5. Allons-y tout de suite.

---

2. *Aujourd'hui c'est dimanche.*

   kyô . . . . desu

3. *J'emporte des livres pour mon ami.*

   tomodachi . . . . hon o . . . . . ikimasu

4. *Je téléphone tout de suite.*

   . . . . denwa o . . . .

5. *Oui s'il vous plaît.*

   hai . . . .

Réponses : **1.** - san ni denwa o -. **2.** - wa nichiyôbi -. **3.** - no tame ni - motte -. **4.** sugu - kakemasu. **5.** - onegai shimasu.

****

第十七課　　　のみ　の　市
だいじゅうなな か
dai jû nana ka　　　　　　　no mi　no　ichi
(daill' djuu nana ka)　　　　　　(nomi no itchi)

1 - その　箱　の　右　の　茶碗　は
　　　はこ　　みぎ　　　ちゃわん
　　so no　hako no　migi no　cha wan　wa
　　(sono hako no migui no tchaouan.n'oua

　　いくら　です　か。
　　i ku ra　de su　ka
　　ikoula dèss' ka)

2 - これ　です　か。
　　ko re　de su　ka
　　(kolé dèss' ka)

3 - いいえ、　その　左　の　茶碗
　　　　　　　　　ひだり　　ちゃわん
　　i i e,　so no　hidari　no　cha wan
　　(iiyé, sono hidali no tchaouan.n'

　　です。
　　de su
　　dèss')

4 - ええ　と…　これ　は　三　万　円
　　　　　　　　　　さん　まん　えん
　　e e　to...　ko re　wa　san man　en
　　(ééto...kolé oua san.n' man.n' èn'

　　です。(1)
　　de su
　　dèss')

5 - 三　万　円　です　か。高い　です
　　さん　まん　えん　　　　　　たか
　　san man　en　de su　ka.　taka i　de su
　　(san.n' man.n' èn' dèss' ka) (takaill' dèss'

　　ね。
　　ne
　　né)

Le marché aux puces   Dix-septième leçon
(puce / [relation] / marché) (ième / dix-sept / leçon)

1 — La tasse, là, à droite de cette boîte, combien vaut-
elle ?
(cette / boîte / [relation] / droite / [relation] /
tasse / [annonce] / combien / c'est / [question])

2 — Celle-ci ?
(celle-ci / c'est / [question])

3 — Non, la tasse, à gauche.
(non / de celle-ci / gauche / [relation] / tasse /
c'est)

4 — Euh... C'est 30.000 yens.
(euh) (ceci / [annonce] / trois-10.000-yen / c'est)

5 — 30.000 yens ! C'est cher !
(trois-10.000-yen / c'est / [question]) (être cher /
c'est / [accord])

古い もの です か。

NOTES
(1) Un 方 *man* (man.n') est une unité à 4 zéros : 1.0000
(= 10.000), que les Japonais emploient quotidiennement,
par exemple pour indiquer les prix.

6 - あ、　ごめん　なさい。　三 千
a,　　go me n　na sa i.　　san zen
(a, gomèn' nassaill') (san.n' zèn'

円 です。
en de su
èn' dèss')

7 - ちょっと　見せて　下さい。
cho t to　mi se te　kuda sa i
(tchot'to missété koudassaill')

8 - はい、　どうぞ。
ha i,　　dô zo
(haill', doozo)

9 - 古い　もの　です　か。
furu i　mo no　de su　ka
(foulouï mono dèss' ka)

10- そう　です　よ。　江戸　時代　の
sô　de su　yo.　e do　ji dai　no
(soo dèss' yo) (edo djidaill' no

もの　です。(2) (3)
mo no　de su
mono dèss')

11- では　これ　を　下さい。　はい
de wa　ko re　o kuda sa i.　　ha i
(déoua kolé o koudassaill')　　(haill'

三 千 円。
san zen en
san.n' zèn' èn')

12- どうも　ありがとう　ございます。
dô mo　a ri ga tô　go za i ma su
(doomo aligatoo gozaïmass')

6 — Oh, pardon ! C'est 3.000 yens.
   (oh / pardon) (trois-mille-yen / c'est)

7 — Montrez-la moi un peu !
   (un peu / montrez)

8 — Oui, tenez.

9 — C'est un objet ancien ?
   (être ancien / objet / c'est / [question])

10 — Oh oui ! C'est un objet de l'époque d'Edo.
   (ainsi / c'est / [engagement]) (Edo-époque /
   [relation] / objet / c'est)

11 — Alors je la prends. Voilà 3.000 yens.
   (alors / ceci / [objet] / donnez) (oui / trois-mille-
   yen)

12 — Merci beaucoup.

NOTES (suite)

(2) Cf. leçon 14, révision et notes, paragraphe 4.
(3) Au Japon, on compte le temps par grandes périodes.
La période dite d'Edo va de 1603 à 1867. C'est une
période de paix, où dans un Japon fermé aux communi-
cations extérieures, naît une société moderne sur le plan
de la vie économique, technique, et où dans des villes
déjà très peuplées se développent toutes les formes
d'art. Edo est l'ancien nom de Tôkyô, quand la capitale
du pays était Kyôto.

* * * * *

*N'oubliez pas : l'essentiel, pour l'instant, c'est de compren-
dre. Parfois, peut-être, certaines expressions vous paraissent un peu difficiles. Ne vous y arrêtez pas. Elles seront
reprises et expliquées plus tard... Tout est prévu ! Comme
le dit une expression japonaise : "On ne fait pas pousser les
plantes en tirant dessus"... Patience !*

* * * * *

Leçon 17

13- あれ。 茶碗 の 裏 に 「Made
 a re.　cha wan no ura ni ''made
(alé) (tchaouan.n' no oula ni ''made

in Hong-Kong」と 書いて ある。
 in Hong-Kong'' to ka i te a ru.
in Hong-Kong'' to kaïté alou)

やられた。(4)
ya ra re ta
(yaraléta)

———

練習
renshû
(lèn'chuu)

1. この 魚 は 高い です ね。
   kono sakana wa takai desu ne
   (kono sakana oua takaill' dèss' né)

2. ちょっと 待って ください。
   chotto matte kudasai
   (tchot'to mat'té koudassaill')

3. 喫茶店 は すぐ 左 に あります。
   kissaten wa sugu hidari ni arimasu
   (kiss'satèn' oua sougou hidali ni alimass')

4. 右 の 本 を 見せて 下さい。
   migi no hon o misete kudasai
   (migui no hon.n' o missété koudassaill')

5. カメラ屋 は デパート の 裏 に
   kamera ya wa depâto no ura ni
   (kamélaya oua dépaato no oula ni

   あります。
   arimasu
   alimass')

———

13 — (seul) Ah ! Sous la tasse, il y a écrit ''Made in Hong-Kong''. Je me suis fait avoir !
(ah) (tasse / [relation] / envers / [lieu] / Made in Hong-Kong / [citation] / être écrit) (avoir été pris)

NOTES (suite)

(4) Jusqu'à maintenant, nous avons toujours vu des formes verbales se terminant par ます *masu*, ou ses dérivés. Ce ある *aru* (alou), ici, est exactement équivalant à あります *arimasu* (alimass') que nous avons vu bien souvent. De même, la forme suivante やられた *yarareta* (yaraléta) est exactement équivalante à une forme qui serait やられました *yararemashita* (yaralémach'ta), qui nous est plus familière ! Pourquoi ces différences ? Pour l'instant constatons-les, nous en reparlerons plus loin, dans la leçon de révision.

Exercices

1. Ce poisson est bien cher !
2. Attendez un instant s'il vous plaît.
3. Le café est tout de suite à gauche.
4. Montrez-moi le livre de droite.
5. Le magasin d'appareils photo se trouve derrière le grand magasin.

…に 言葉 を 入れ なさい。
ni koto ba o i re na sa i
(... ni kotoba o ilé nassaill')

1. *C'est combien ?*

. . . .

2. *C'est 20.000 yens.*

. . . . . . en desu

3. *C'est à droite.*

. . . . ni arimasu

4. *C'est à gauche.*

. . . . arimasu

****

だいじゅうはっか 第十八課   ほん や 本屋

dai jû hak ka
(daill' djuu hak' ka)

hon ya
(hon.n' ya)

1 - いらっしゃいませ。(1)
　　i ra s sha i ma se
　　(ilach' chaïmassé)

2 - トルストイ の 「せんそう 戦争 と へいわ 平和」
　　to ru su to i　no　sen sô　to　hei wa
　　(toloussoutoïll' no sèn'soo to heill'oua

　　は あります か。
　　wa　a ri ma su　ka
　　oua alimass' ka)

3 - 「せんそう 戦争 と へいわ 平和」 です か。
　　sen sô　to　hei wa　de su　ka
　　(sèn'soo to heill'oua dèss' ka)

4 　はい、 あります。
　　ha i,　a ri ma su
　　(haill', alimass')

5 　しょうしょう お ま 待ち くだ 下さい。
　　shô　shô　o　ma chi　kuda sa i
　　(choochoo o matchi koudassaill')

5. *La tasse de droite s'il vous plaît.*

. . . . . . chawan . . . .

Réponses : 1. ikura desu ka. **2.** ni man -. **3.** migi -. **4.** hidari ni -.
5. migi no - o kudasai.

****

A la librairie	**Dix-huitième leçon**
(librairie)	**(ième / dix-huit / leçon)**

1 — Bonjour !
   (litt. : entrez)

2 — Avez-vous ''Guerre et Paix'' de Tolstoï ?
   (Tolstoï / [relation] / guerre / et / paix / [annonce]
   / se trouver / [question])

3 — ''Guerre et Paix'' ?
   (guerre / et / paix / c'est / [question])

4   Oui, je l'ai.
   (oui / se trouver)

5   Attendez un instant.
   (un peu / attendez)

実 は 今 家内 が 留守 です。

NOTES
(1) Cf. leçon 12, note 2. Formule d'accueil chez tout
commerçant.

6 - それから 料理 の 本 を 見せて
so re ka ra　ryô ri　no　hon　o　mi se te
(solékara lyooli no hon.n' o missété

下さい。
kuda sa i
koudassaill')

7 - 日本 料理 です か、フランス
ni hon　ryô ri　de su　ka,　fu ra n su
(nihon.n' lyooli dèss' ka, foulan.n'sou

料理 です か、中華 料理
ryô ri　de su　ka,　chû ka　ryô ri
lyooli dèss' ka, tchuuka lyooli

です か。(2) (3)
de su　ka
dèss' ka)

8 - 実 は 今 家内 が 留守 です。(4)
jitsu wa　ima　ka nai　ga　ru su　de su
(djitsou oua ima kanaill' ga loussou dèss')

9 自分 で 料理 を しなければ
ji bun　de　ryô ri　o　shi na ke re ba
(djiboun' dé lyooli o chinakéléba

なりません。
na ri ma se n
nalimassèn')

10- それでは この 本 をおすすめ します。
so re de wa ko no hon o　o su su me shi ma su
(solédéoua kono hon.n' o o soussoumé chimass')

6 — Et puis, vous me montrerez un livre de cuisine.
(et puis / cuisine / [relation] / livre / [objet] /
montrez)

7 — De cuisine japonaise, française ou chinoise ?
(Japon-cuisine / c'est / [question] / France-
cuisine / c'est / [question] / cuisine chinoise /
c'est / [question])

8 — C'est qu'en fait ma femme est absente.
(en réalité / [renforcement] / ma femme / [sujet] /
absence / c'est)

9 Je dois faire la cuisine moi-même.
(soi-même / [moyen] / cuisine / [objet] / il faut
faire)

10 — Dans ce cas, je vous conseille ce livre.
(Alors / ce / livre / [objet] / [politesse]-conseil-
faire)

NOTES (suite)

(2) Dans 日本 料理 *nihon ryôri* (nihon.n' lyooli) et
フランス 料理 *furansu ryôri* (foulan.n'sou lyooli), 日本
nihon (nihon.n') et フランス *furansu* (foulan.n'sou) sont
bien les noms qui désignent respectivement le Japon et
la France. Mais dans 中華 料理 *chûka ryôri* (tchuuka
lyooli), 中華 *chûka* (tchuuka) ne peut pas être détaché.
Pour parler de la Chine, on emploiera un autre mot :
中国 *chûgoku* (tchuugokou).
(3) En français, nous pouvons dire : ''Est-ce ceci **ou**
cela ?'' ''Est-ce comme ceci **ou** comme cela ?''. En
japonais, on devra répéter la phrase complète, en
reprenant です か *desu ka* (dèss' ka) à chaque fois.
(4) 家内 *kanai* (kanaill') **ma** femme. Ce terme ne peut
s'employer que pour désigner l'épouse de celui qui parle.
C'est le même type de phénomène que dans la leçon 15
(cf. leçon 15, notes 1 et 3).

11 実 は 私 も これ で
jitsu wa watakushi mo ko re de
(djitsou oua ouatakouchi mo kolé dé

作 ります。
tsuku ri ma su
tsoukoulimass')

12 簡単 に できます。
kan tan ni de ki ma su
(kan.n'tan.n' ni dékimass')

13- それでは これ に します。
so re de wa ko re ni shi ma su
(solédéoua kolé ni chimass')

14- 毎度 ありがとう ございます。(5)
mai do a ri ga tô go za i ma su
(maill'do aligatoo gozaïmass')

練習

renshû
(lèn'chuu)

1. 家内 です。
kanai desu
(kanaill' dèss')

2. 今 山田 さん は 留守 です。
ima yamada san wa rusu desu
(ima yamada san.n' oua loussou dèss')

3. これ は 魚 です か、肉 です か。
kore wa sakana desu ka, niku desu ka
(kolé oua sakana dèss' ka, nikou dèss' ka)

4. お 菓子 を 自分 で 作ります。
o kashi o jibun de tsukurimasu
(o kachi o djiboun' dé tsoukoulimass')

5. 映画 の 本 を 見せて 下さい。
eiga no hon o misete kudasai
(eill'ga no hon.n' o missété koudassaill')

11 En fait, moi aussi j'utilise ce livre.
(en réalité / [renforcement] / moi / aussi / ceci / [moyen] / fabriquer)

12 On y arrive facilement.
(facile / [adverbial] / être possible)

13 — Alors je le prends.
(alors / ceci / se décider pour (litt. : [but] / faire))

14 — Merci beaucoup.

NOTES (suite)

(5) Comme la scène se passe dans un magasin, nous y trouvons les formules qu'emploient de façon usuelle les commerçants, et qui leur sont réservées. ありがとうございます *arigatô gozaimasu* (aligatoo gozaïmass') est une formule que tout le monde peut employer pour dire ''Merci''. Mais 毎度ありがとうございます *maido arigatô gozaimasu* (maïll'do aligatoo gozaïmass'), littéralement : ''pour chaque fois (que vous venez ici), merci'', est une de ces formules que seuls les commerçants emploient. Elle n'est donc pas pour vous..., sauf si vous travaillez comme vendeur dans un magasin au Japon !

Exercices

1. Voici ma femme.
2. En ce moment M. Yamada est absent.
3. C'est du poisson ou de la viande ?
4. Je fais moi-même mes gâteaux.
5. Montrez-moi un livre sur le cinéma.

…に 言葉 を 入れ なさい。
ni koto ba o i re na sa i
(... ni kotoba o ilé nassaill')

1. *C'est un garçon ou une fille ?*

otoko no ko . . . . . . onna no ko . . . . . .

Leçon 18

2. *Je prendrai ce livre-ci.*

. . . . hon . . . .

3. *Moi aussi, ma femme est absente.*

watakushi . . . . ga rusu desu

4. *Avez-vous "Guerre et Paix" ?*

[sensô to heiwa] . . . . ka

****

だいじゅうきゅうか
第十九課

コンサート

dai jû kyû ka
(daill' djuu kyuu ka)

ko n sâ to
(kon.n'saato)

1 - この　うつくしい　人　は　だれ
ko no　u tsu ku shi i　hito　wa　da re
(kono outsoukouchïi h'to oua dalé

です　か。
de su　ka
dèss' ka)

2 - この　写真　の　人　です　か。
ko no　sha shin no　hito　de su　ka
(kono chachin' no h'to dèss' ka)

3 - はい、そう　です。
ha i,　sô　de su
(haill', sôo dèss')

4 - 山口　文子　です。(1)
yama guchi fumi ko　de su
(yamagoutchi foumiko dèss')

5. *C'est "Guerre et Paix" ?*

[sensô to heiwa] . . . . ka

Réponses : 1. - desu ka - desu ka. **2.** kono - ni shimasu. **3.** - mo kanai -. **4.** - wa arimasu -. **5.** - desu -.

****

Le concert	**Dix-neuvième leçon**
(concert)	(ième / dix-neuf / leçon)

1 — Qui est cette ravissante personne ?
(ce / être ravissant / être humain / [annonce] / qui / c'est / [question])

2 — La jeune femme de la photo ?
(cette / photo / [relation] / être humain / c'est / [question])

3 — Oui, c'est ça.

4 — C'est YAMAGUCHI Fumiko.
(Yamaguchi / Fumiko / c'est)

NOTES
(1) Le seul cas où le nom d'une personne n'est pas suivi de さん *san* (san.n'), c'est lorsqu'il s'agit d'une célébrité. De même, en français, nous ne disons pas "Monsieur Jules Verne", mais "Jules Verne" tout court ! A noter que le nom d'une personne japonaise comporte **toujours** le nom de famille en tête, le prénom en second.

Leçon 19

5 - 女優 です か。
jo yû de su ka
(djoyuu dèss' ka)

6 - いいえ、女優 で は ありません。
i i e , jo yû de wa a ri ma se n.
(iïyé, djoyuu dé oua alimassèn')

歌手 です。(2)
ka shu de su
(kachu dèss')

7 - どんな 歌 を 歌います か。
do n na uta o uta i ma su ka
(don'na outa o outaïmass' ka)

8 - ジャズ です。
ja zu de su
(djazou dèss')

9 こんど の 土曜日 に サン・
ko n do no do yô bi ni sa n
(kon.n'do no doyoobi ni san.n'

プラザ で コンサート が あります。
pu ra za de ko n sâ to ga a ri ma su.
p'laza dé kon.n'saato ga alimass')

一緒 に いかが です か。(3)
is sho ni i ka ga de su ka
(ich'cho ni ikaga dèss' ka)

10 - とても ざんねん です が、
to te mo za n ne n de su ga,
(totémo zan.n' nèn' dèss' ga,

都合 が わるい です。
tsu gô ga wa ru i de su
(tsougoo ga oualouï dèss')

5 — C'est une actrice ?
(actrice / c'est / [question])

6 — Non, ce n'est pas une actrice. C'est une chanteuse.
(non / actrice / ce n'est pas) (chanteuse / c'est)

7 — Qu'est-ce qu'elle chante ?
(de quelle sorte / chanson / [objet] / chanter / [question])

8 — Du jazz.
(jazz / c'est)

9 Samedi prochain elle donne un concert au San Plazza. Vous venez avec moi ?
(prochaine fois / [relation] / samedi / [temps] / San Plazza / [lieu] / concert / [sujet] / se trouver) (ensemble / [adverbial] / comment / c'est / [question])

10 — C'est vraiment dommage, mais je ne peux pas.
(très / dommage / c'est / mais / circonstance / [sujet] / être mauvais / c'est)

ざんねん です ね。

(2) で は ありません *de wa arimasen* (dé oua alimassèn'). C'est un peu long, mais ce n'est que l'équivalent négatif de です *desu* (dèss'). です *desu*, "c'est". で は ありません *de wa arimasen*, "ce n'est pas".

(3) サン・プラザ San Plazza, sorte d'Olympia ou de Bobino, qui se trouve dans un quartier de la partie ouest de Tôkyô, nommé Nakano.

11- ざんねん です ね。写真 より
za n ne n de su ne. sha shin yo ri
(zan.n' nèn' dèss' né) (chachin' yoli

もっと うつくしい 人 です よ。
mo t to u tsu ku shi i hito de su yo
mot'to outsoukouchïï h'to dèss' yo)

12- ほんとう？ 約束 を やめよう
hon tô？ yaku soku o ya me yô
(hon.n'too) (yakoussokou o yaméyoo

か な。でも それ は むり だ
ka na. de mo so re wa mu ri da
ka na) (démo solé oua mouli da

なあ。(4) (5)
na a
naa)

13- それでは また この 次 の
so re de wa ma ta ko no tsugi no
(solédéoua mata tsougui no

機会 に お 誘い しましょう。
ki kai ni o saso i shi ma shô
kikaïll' ni o sassoï chimachoo)

14- ぜひ おねがい します。
ze hi o ne ga i shi ma su
(zéhi onégaï chimass')

11 — C'est dommage. Elle est bien plus belle que la
     photo !
     (dommage / c'est / [accord]) (photo / plus que /
     beaucoup plus / être ravissant / être humain /
     c'est / [engagement])

12 — Vraiment ? (Seul) Si je décommandais mon ren-
     dez-vous ? Mais non, c'est impossible !
     (vraiment) (rendez-vous / [objet] / cessons /
     [question] / [réflexion]) (mais / cela / [annonce] /
     impossible / c'est / [réflexion])

13 — Bon, je vous inviterai à la prochaine occasion.
     (alors / de nouveau / ce / prochain / [relation] /
     occasion / [temps] / [politesse]-invitation-faire)

14 — Oh oui, je vous en prie !
     (absolument / je vous en prie)

NOTES (suite)

(4) やめよう *yameyô* (yaméyoo). Jusqu'ici, tous les
verbes que nous avons traduits par ''allons'', ''mangeons'', etc. se terminaient par ましょう *mashô* (machoo). Ici, c'est une autre forme pour dire la même chose.
De même だ *da,* est une autre forme pour です *desu,* et
qui a exactement le même sens. Nous allons bientôt
arriver à l'explication de ces formes... un peu de
suspense, jusqu'au paragraphe 4 de la leçon 21.
(5) Rappelez-vous ces petits mots que nous rencontrons
à la fin des phrases, ces particules finales qui donnent
une certaine nuance à ce qu'on vient de dire. Nous avons
vu ね *ne* (né) (leçon 1, note 4), puis よ *yo* (leçon 2, note 3).
Voici maintenant な *na* (ou なあ *naa*) que l'on emploie
très souvent quand la phrase s'adresse à soi-même, que
l'on est, en quelque sorte, en train de réfléchir tout haut.
Dans la traduction décomposée, nous l'indiquerons par
[réflexion].

練習
れんしゅう

renshû
(lèn'chuu)

1. ビール は いかが です か。
   bîru wa ikaga desu ka
   (biilou oua ikaga dèss' ka)

2. 今度 の 日曜日 に どこ へ 行きます
   こんど   にちようび   い
   kondo no nichiyôbi ni doko e ikimasu
   (kon.n'do no nitchiyoobi ni doko é ikimass'

   か。
   ka
   ka)

3. どんな 映画 が 好き です か。
          えいが   す
   donna eiga ga suki desu ka
   (don'na eill'ga ga souki dèss' ka)

4. 私 は 都合 が いい です。
   わたくし つごう
   watakushi wa tsugô ga ii desu
   (ouatakouchi oua tsougoo ga iï dèss')

5. 昨日 より 暑い です ね。
   きのう   あつ
   kinô yori atsui desu ne
   (kinoo yoli atsouï dèss' né)

…に 言葉 を 入れ なさい。
    ことば   い
ni   koto ba o   i re   na sa i
(... ni kotoba o ilé nassaill')

1. *Aujourd'hui c'est samedi ou dimanche ?*

. . . ⋅wa . . . . . . desu ka, ... desu ka

****

Exercices

1. Que diriez-vous d'une bière ?
2. Où allez-vous dimanche prochain ?
3. Quelle sorte de films aimez-vous ?
4. Pour moi, cela tombe tout à fait bien.
5. Il fait plus chaud qu'hier.

----

2. *C'est quelle sorte de personne ?*

. . . . desu ka

3. *Qui est cette personne ?*

kono . . . . wa . . . . desu ka

4. *Ce n'est pas un café, c'est une librairie.*

kissaten . . . . , ... desu

5. *Les feuilletons sont plus amusants que les informations.*

hômudorama wa nyûsu . . . . desu

Réponses : 1. kyô - doyôbi -, nichiyôbi -. 2. donna hito -. 3. - hito - dare -. 4. - de wa arimasen, honya -. 5. - yori omoshiroi -.

****

第二十課
だい に じゅっ か

dai ni juk ka
(daill' ni djuk' ka)

禁煙
きん えん

kin en
(kin'èn')

1 – この 辺 に タバコ屋 が
へん　　　　　　　や

ko no hen ni ta ba ko ya ga
(kono hèn' ni tabakoya ga

あります か。
a ri ma su ka
alimass' ka)

2 – あります。
a ri ma su
(alimass')

3 – 遠い です か。
とお

too i de su ka
(tooï dèss' ka)

4 – いいえ、 そんな に 遠く
とお

i i e, son na ni too ku
(ïïyé, son'na ni tookou

ありません。(1)
a ri ma se n
alimassèn')

5 – どこ です か。
do ko de su ka
(doko dèss' ka)

6 – 本屋 の 隣 です。
ほん や　　　　　となり

hon ya no tonari de su
(hon.n'ya no tonali dèss')

Interdit de fumer **Vingtième leçon**
(ième / deux-dix / leçon)

1 — Y a-t-il un bureau de tabac dans les environs ?
(ces / environs / [lieu] / bureau de tabac / [sujet] /
se trouver / [question])

2 — Oui.

3 — Il est loin ?
(être loin / c'est / [question])

4 — Non, pas tellement.
(non / de cette façon / [adverbial] / ne pas être
loin)

5 — Où est-il ?
(où / c'est / [question])

6 — A côté de la librairie.
(librairie / [relation] / voisin / c'est)

NOTES
(1) 遠い *tooi* (tooï) ''être loin'', 遠く　ありません tooku
arimasen (tookou alimassèn'), ''ne pas être loin''. Oui...
Vous l'avez déjà deviné vous-même. Pour fabriquer la
forme négative d'un adjectif, on remplace le *i* de la fin par
ku et on ajoute *arimasen*. Essayez avec 古い *furui*
(foulouï) ''être vieux, ancien'', que nous avons vu dans la
leçon 17, phrase 9. ''Ne pas être ancien'', c'est...
古く ありません *furuku arimasen* (fouloukou alimassèn')...
et voilà, bravo !

Leçon 20

7　まず　この　道（みち）を　まっすぐ
ma zu　ko no　michi　o　ma s su gu
(mazou kono mitchi o mass'sougou

行きます。(2)
i ki ma su
ikimass')

8　それから　左（ひだり）に　まがります。
so re ka ra　hidari　ni　ma ga ri ma su
(solékala hidali ni magalimass')

9　右側（みぎがわ）に　大（おお）きい　本屋（ほんや）が
migi gawa ni　oo ki i　hon ya　ga
(migui gaoua ni ookiï hon.n'ya ga

あります。
a ri ma su
alimass')

10　その　隣（となり）　です。
so no　tonari　de su
(sono tonali dèss')

11-　ありがとう　ございます。
a ri ga tô　go za i ma su.
(aligatoo gozaïmass')

たすかりました。
ta su ka ri ma shi ta
(tassoukalimach'ta)

12　三日（みっか）　前（まえ）　から　禁煙（きんえん）　して
mikka　mae　ka ra　kin en　shi te
(mik'ka maé kala kin'èn' chité

いました　が、続（つづ）きませんでした。
i ma shi ta　ga,　tsuzu ki ma se n　de shi ta
imach'ta ga, tsouzoukimassèn' déch'ta)

7   D'abord vous prenez cette rue, tout droit.
     (d'abord / cette / rue / [objet] / tout droit / aller)

8   Puis vous tournez à gauche.
     (puis / gauche / [lieu] / tourner)

9   Sur la droite il y a une grande librairie.
     (côté droit / [lieu] / être grand / librairie / [sujet] /
     se trouver)

10   C'est juste à côté.
     (de celle-ci / voisin / c'est)

11   — Merci. Je suis sauvé !

12   J'ai arrêté de fumer depuis trois jours, mais je ne
     tiens plus.
     (trois jours-avant / depuis / arrêt de fumer-avoir
     fait / mais / ne pas avoir continué)

NOTES (suite)

(2) Cela peut vous paraître bizarre de trouver un
complément d'objet après le verbe qui veut dire ''aller''.
En japonais, c'est comme ça ! Avec un verbe qui exprime
le mouvement, l'espace que l'on parcourt est considéré
comme un complément d'objet.

* * * * *

13- つらい です ね。 僕 も 禁煙
tsu ra i de su ne. boku mo kin en
(tsoulaill' dèss' né) (bokou mo kin'èn'

して います が、タバコ が
shi te i ma su ga, ta ba ko ga
chité imass' ga tabako ga

すいたい な。(3) (4)
su i ta i na
souïtaill' na)

14- それでは 一緒 に タバコ屋 へ
so re de wa is sho ni ta ba ko ya e
(solédéoua, ich' cho ni tabakoya é

行きましょう。
i ki ma shô
ikimachoo)

練習
renshû
(lèn'chuu)

1. 今 何 を して います か。
ima nani o shite imasu ka
(ima nani o chité imass' ka)

2. 二 十 年 前 から 東京 に 住んで
ni jû nen mae kara tôkyô ni sunde
(ni djuu nèn' maé kala tookyoo ni soundé

います。
imasu
imass')

3. 田中 さん を 待って います が、
tanaka san o matte imasu ga,
(tanaka san.n' o mat'té imass' ga,

来ません。
kimasen
kimassèn')

13 — C'est dur, oui ! Moi aussi, j'ai arrêté de fumer, mais... j'ai envie d'une cigarette !
(être pénible / c'est / [accord]) (moi / aussi / arrêt de fumer-faire / mais / cigarette / [sujet] / être l'objet du désir de fumer / [réflexion])

14 — Alors, allons ensemble au bureau de tabac !
(alors / ensemble / [adverbial] / bureau de tabac / [destination] / allons)

NOTES (suite)

(3) En français, pour parler de soi-même, nous avons "je/moi". C'est tout. En japonais, vous l'avez bien remarqué, on n'emploie pas souvent ce genre de terme. Et pourtant, il en existe plusieurs. Nous avons vu 私 *watakushi* (ouatakouchi) (leçon 9, phrase 4 ; leçon 12, phrase 6 ; leçon 18, phrase 11). Ce 私 *watakushi* est employé indifféremment par les hommes et les femmes. Mais ce 僕 *boku* (bokou) que nous avons ici, ne peut être employé **que par des hommes**.

(4) タバコ *tabako* vient bien du même mot que notre "tabac". Mais attention, タバコ *tabako* veut dire "cigarette".

Exercices

1. Qu'est-ce que vous faites en ce moment ?
2. J'habite à Tôkyô depuis 20 ans.
3. J'attends M. Tanaka, mais il ne vient pas.

4. 本屋 は 喫茶店 の 隣 に あります。
honya wa kissaten no tonari ni arimasu
(hon.n'ya oua kiss'satèn' no tonali ni alimass')

5. この トランク は そんな に 高く
kono toranku wa sonna ni takaku
(kono tolan.n'kou oua son'na ni takakou

あります。
arimasen
alimassèn')

———————

…に 言葉 を 入れ なさい。

ni koto ba o i re na sa i
(... ni kotoba o ilé nassaill')

1. *Ce n'est pas amusant.*

omoshiro . . . .

****

第二十一課   まとめ
dai ni jû ikka   **ma to me**
(daill' ni djuu ik' ka)   **(matomé)**

Une bonne pause fait toujours du bien ! Comme chacun le sait, le plus difficile n'est pas de commencer, mais de continuer. Et pour bien continuer, il faut être assuré de sa base. Ces leçons de révision et de notes sont là dans ce but. Lisez-les attentivement. N'hésitez pas à y passer un peu de temps, à vous reporter aux pages citées, à relire les notes desquelles il est fait mention. C'est ainsi que vous serez sûr de bien poursuivre.

4. La librairie est à côté du café.
5. Cette valise n'est pas tellement chère.

———————

2. *Je suis en train de prendre mon petit déjeuner.*

chôshoku o tabe . . . .

3. *C'est une grande librairie.*

. . . .

4. *Je travaille dans ce magasin depuis 8 ans.*

. . . . kono mise de hataraite imasu

5. *C'est la rue de droite ou de gauche ?*

. . . . no michi desu ka, ...

. . . . . desu ka

Réponses : 1. - ku arimasen. 2. - te imasu. 3. ookii honya desu. 4. hachi nen mae kara -. 5. migi -, hidari no michi -.

****

Révision et notes   **Vingt-et-unième leçon**
                    (ième / deux-dix-un / leçon)

1. Vous devez maintenant vous y retrouver assez bien dans l'écriture syllabique, au moins pour les hiragana (cf. p. XII). Nous allons donc commencer à nous occuper, tout doucement, des caractères chinois, qu'en japonais on appelle des ''kanji''. Littéralement : 漢 *kan* = ''chinois'' et 字 *ji* = ''écriture''. Vous étiez prévenu, dès le début, honnêtement, que c'était assez complexe, et... vous n'avez sans doute pas été déçus ! Mais nous allons petit à petit débrouiller tous les fils.

Leçon 21

Là où ce n'est pas trop compliqué, c'est pour les noms. Bien sûr, pour chaque nom, il y a un kanji différent (le plus souvent plusieurs d'ailleurs). Pourtant, c'est net : Reprenons les premiers noms qui figurent dans la leçon 17 :

● "une boîte", se dit *hako,* et s'écrit 箱 ; inversement, le kanji 箱 veut dire "boîte", ce qui, en japonais, se dit *hako.*
● *"la droite" se dit migi* (migui) et s'écrit 右 ; inversement, 右 veut dire "la droite", ce qui, en japonais, se dit *migi.*

Là, ce sont des mots simples : pour un mot, un caractère. Prenons maintenant des noms qui figurent dans la leçon 18 ; nous y trouvons beaucoup de mots composés de plusieurs kanji, mais le principe est le même :
"la guerre" se dit *sensô* (sèn'soo) et s'écrit 戦争 , le premier caractère se prononce sen (sèn'), et le second sô (soo).
"la paix" se dit *heiwa* et s'écrit 平和 . Le premier caractère se prononce hei (heill'), le second wa (oua) ;
et inversement, 戦争 veut dire "la guerre" et se prononce *sensô,* 平和 veut dire "la paix" et se prononce *heiwa.*
Jetez un coup d'œil sur les autres noms de cette leçon 18 : le titre, *honya* 本屋 , *ryôri* 料理 (phrase 6), *kanai* 家内 et *rusu* 留守 (phrase 8), *jibun* 自分 (phrase 9). Ils sont tous faits de la même façon. Et c'est le cas le plus fréquent : deux caractères pour un mot ; quelquefois plus... Nous avons déjà rencontré un mot qui s'écrit avec trois kanji... : *kissaten* 喫茶店 . Le premier kanji 喫 veut dire "boire", le second 茶 veut dire "thé", le troisième 店 veut dire "magasin". Le total c'est "un magasin où l'on boit du thé"... soit "un café". Mais regardez le dernier caractère 店 . Ici, dans ce mot composé, il se prononce *ten* (tèn'). Revenons en arrière à la leçon 6, phrase 10.

Nous retrouvons ce même caractère. Mais il se prononce *mise* (missé). Vous vous rappelez ce que nous disions dans l'introduction : c'est une donnée habituelle, la plupart des caractères ont plusieurs prononciations. En général, la prononciation d'un caractère change selon qu'il est employé tout seul ou qu'il figure dans un mot composé. Le caractère 店 se prononce *ten* (tèn') dans le mot composé *kissaten,* mais *mise* (missé) quand il est tout seul.

Pas de panique !... C'est beaucoup plus simple que cela n'en a l'air ! Et puis, n'oublions jamais... Pour l'instant, ce qu'il faut, c'est **comprendre**. Et si vous êtes attentif, vous ne pouvez pas ne pas remarquer qu'un même caractère ne se prononce pas toujours de la même façon. En voilà l'explication.

2. Les adjectifs. Maintenant que nous commençons à rencontrer des phrases un peu plus longues, nous trouvons plus souvent de ces mots qui sont à peu près comme nos adjectifs... mais pas tout à fait. Nous les traduisons toujours par "être..." (いい *ii* "être bien", 大きい *ookii* "être grand"). C'est qu'ils sont en fait des sortes de verbes, pouvant avoir diverses formes. Ainsi ils ont une forme négative (cf. leçon 20, note 1). Vous pouvez la fabriquer facilement, en remplaçant le *i* final par く ありません *ku arimasen*. Le seul adjectif pour lequel il faudra faire attention, et qui est la seule exception, c'est ce いい *ii* "être bien". Il a un doublet よい *yoi* (yoï), qui veut dire la même chose, et c'est sur ce doublet qu'on fabrique la forme négative : "ne pas être bien", ce sera よく ありません *yoku arimasen* (yokou alimassèn').

Quand en français nous employons des adjectifs dans des expressions comme : un objet **ancien,** une **grande** librairie, vous savez bien qu'il y a des adjectifs qui viennent après le nom, d'autres avant. En japonais c'est

vite réglé : l'adjectif, dans ce genre d'expressions, vient
toujours avant le nom :
un objet ancien :
furui mono (foulouï mono) 古い もの
furui = être ancien, *mono* = objet (cf. leçon 17,
phrase 9)
une grande librairie : 大きい 本屋
ookii honya (ookïï hon.n'ya)
ookii = être grand, *honya* = librairie
une femme ravissante : うつくしい 人
utsukushii hito (outsoukouchii h'to)
utsukushii = être joli, *hito* = un être humain (cf. leçon 19,
phrase 1).
Cf. aussi leçon 16, phrase 6.

3. Côté particules enclitiques. Nous en avons rencontré
deux nouvelles : は *wa* (oua) et より *yori* (yoli). Ce sont les
deux dernières !
より *yori* s'emploie uniquement lorsqu'on fait une
comparaison et signifie donc "plus... que" (cf. leçon 19,
phrase 11). Quant à は *wa,* c'est un des piliers de la
phrase, nous la retrouverons souvent. Cela vaut donc la
peine de relire dès maintenant, et ensuite de temps à
autre, la note à son sujet, leçon 15, note 2.

4. Les verbes. Revenons un moment sur les formes
verbales employées dans la leçon 17, phrase 13 et dans la
leçon 19, phrase 12. Elles sont différentes de celles que
nous avons rencontrées jusqu'alors et qui se terminaient
toutes par ます *masu,* ou ません *masen,* ou ました
mashita, ou ましょう *mashô* (cf. leçon 7, paragraphe 1).
Dès le début, nous l'avions bien dit, les verbes japonais
ne changent pas en fonction des personnes, comme nos
verbes français. Cela, vous avez pu le constater vous-
mêmes au fur et à mesure des leçons. Par contre, ils
changent de forme, en fonction de l'interlocuteur. C'est

un système à trois degrés : degré moyen, degré moins, degré plus.

Le degré moyen, c'est ce que nous avons employé jusqu'à maintenant, et c'est le cas le plus courant : une conversation avec quelqu'un qu'on connaît assez bien, mais avec qui on n'est pas vraiment très intime ; ou une conversation avec quelqu'un qu'on rencontre pour la première fois, mais qui est, disons, "votre égal". Ce degré moyen est caractérisé par l'emploi de です *desu*, pour dire "c'est" et des formes verbales en ます *masu*, ません *masen*, ました *mashita*, ましょう *mashô*.

Le degré plus, nous en parlerons le moment venu. Il correspond au cas où l'on s'entretient avec une personne envers qui on doit montrer beaucoup de respect, de déférence.

Le degré moins, c'est celui que nous trouvons dans la leçon 17, phrase 13 et la leçon 19, phrase 12. C'est le cas où l'on s'adresse à quelqu'un de vraiment familier : membre de sa famille, vieil ami... et bien sûr, lorsque, comme ici, on se parle à soi-même. Pour ce degré moins, à la place de です *desu*, on emploie だ *da*, pour dire "c'est". A la place de la forme en ます *masu*, on emploie la forme la plus neutre du verbe, celle qu'on trouvera dans le dictionnaire. Ici, pour あります *arimasu* que nous connaissons bien, ce sera ある *aru*. Pour le passé, au lieu que la terminaison soit ました *mashita*, elle sera seulement た *ta*.

Exemple :

degré moyen : やられました *yararemashita*,

degré moins : やられた *yarareta*,

avec exactement le même sens litt. : "j'ai été refait", "j'ai été roulé".

Là où l'on trouve ましょう *mashô* pour le degré moyen, やめましょう *yamemashô*, "abandonnons, cessons", on trouve ici, pour le degré moins, やめよう *yameyô*.

*Ce système vous paraît peut-être un peu bizarre !... C'est
en effet fort différent de ce qui se passe avec nos verbes !
Mais ne vous en faites pas. N'oubliez pas... Pour l'instant :
COMPRENDRE, reconnaître les différences, voir ''com-*

****

第二十二課　　　郵便局

dai ni jû ni ka　　　　　　　　**yû bin kyoku**
(daill' ni djuu ni ka)　　　　　**(yuubin'kyokou)**

1 - 郵便局 は どこ に あります か。
yû bin kyoku　wa do ko ni　a ri ma su　ka
(yuubin'kyokou oua doko ni alimass' ka)

2 - すぐ 後ろ に あります。
su gu　ushi ro　ni　a ri ma su
(sougou ouchilo ni alimass')

3 - あ。これ は、どうも ありがとう。
a.　ko re　wa,　dô mo　a ri ga　tô
(a) (kolé oua doomo aligatoo)

4　ギリシャ へ の 航空 郵便 葉書
gi ri sha　e　no　kô kû　yû bin　ha gaki
(guilicha é no kookouou yuubin' hagaki

の 料金 は いくら です か。
no　ryô kin　wa　i ku ra　de su　ka
no lyookin' oua ikoula déss' ka)

5 - イギリス まで です か。
i gi ri su　ma de　de su　ka
(iguilissou madé dèss' ka)

ment ça marche''. Nous découvrirons tout tranquillement
ces formes verbales au fil des situations. Il vous suffit d'être
attentifs aux notes où nous signalerons les changements de
degré (en moins ou en plus), ... et tout ira bien.

****

A la poste   **Vingt-deuxième leçon**
(poste)   **(ième / deux-dix-deux / leçon)**

1 — Où se trouve la poste ?
(poste / [annonce] / où / [lieu] / se trouver /
[question])

2 — Juste derrière vous.
(tout-de-suite / derrière / [lieu] / se trouver)

3 — Ah ! Merci beaucoup.
(ah) (ceci / [annonce] / merci beaucoup)

4   Quel est le tarif d'une carte postale par avion pour
la Grèce ?
(Grèce / [destination] / [relation] / par avion-
courrier-carte postale / [relation] / tarif / [an-
nonce] / combien / c'est / [question])

5 — Pour l'Angleterre ?
(Angleterre / jusqu'à / c'est / [question])

6 - いいえ。イギリス まで で は
   i i e. i gi ri su ma de de wa
   (iïyé) (iguilissou madé de oua

ありません。(1)
a ri ma se n
alimassèn')

7 ギリシャ まで です。
   gi ri sha ma de de su
   (guilicha madé dèss')

8 - ああ。 ギリシャ です か。
   a a.   gi ri sha de su ka.
   (aa) (guilicha dèss' ka)

ちょっと お 待ち 下さい。
cho t to o ma chi kuda sa i
(tchot'to o matchi koudassaill')

9 今 調べます から。(2)
   ima shira be ma su ka ra
   (ima chilabémass' kala)

10 はい、 ありました。ギリシャ まで
   ha i,   a ri ma shi ta. gi ri sha ma de
   (haill', alimach'ta) (guilicha madé

は、 葉書 一 枚、 百 十 円
wa,   ha gaki ichi mai, hyaku jû en
oua,   hagaki itchi maill', hyakou djuu èn'

です。(3)
de su
dèss')

6 — Non. Pas pour l'Angleterre.
(non) (Angleterre / jusqu'à / ce n'est pas)

7 Pour la Grèce.
(Grèce / jusqu'à / c'est)

8 — Ah. Pour la Grèce ! Attendez un instant.
(ah) (Grèce / c'est / [question]) (un peu / [politesse]-attendez)

9 Je cherche.
(maintenant / examiner / parce que)

10 Ah, voilà. Pour la Grèce, une carte postale, c'est cent dix yens.
(oui / s'être trouvé) (Grèce / jusqu'à / [renforcement] / carte postale / un-feuille / cent-dix-yen / c'est)

NOTES

(1) で は あ り ま せ ん *de wa arimasen* (dé oua alimassèn'), négation de です *desu* (dèss') pour le degré moyen. Donc : "ce n'est pas".

(2) Littéralement : "parce que maintenant je cherche".

(3) Comme vous l'avez largement constaté, en japonais on n'indique pas le singulier ni le pluriel. Pourtant, parfois on a besoin de savoir de combien d'objets il s'agit. Dans ce cas, on emploie bien sûr des nombres. Mais alors on raffine : on ajoute un mot qui précise le type de l'objet. Ici 枚 *mai* (maill') indique que l'on parle d'objets minces (c'est-à-dire semblables à une feuille de papier). Pour d'autres types d'objets (un livre, un objet rond...) on emploiera d'autres mots.

11 十 枚 で 千 百 円 に
じゅう まい せん ひゃく えん
jû mai de sen hyaku en ni
(djuu maill' dé sèn' hyakou èn' ni

なります。(3)
na ri ma su
nalimass')

12- はい。 千 百 円 です。
せん ひゃく えん
ha i. sen hyaku en de su
(haill') (sèn hyakou èn' dèss')

13- ありがとう ございます。
a ri ga tô go za i ma su
(aligatoo gozaïmass')

練習
れんしゅう
renshû
(lèn'chuu)

1. いいえ。 郵便局 で は ありません。
ゆうびんきょく
iie. yûbinkyoku de wa arimasen
(iïyé) (yuubin'kyokou dé oua alimassèn')

2. 目黒 駅 の 隣 の デパート の
めぐろ えき となり
meguro eki no tonari no depâto no
(mégoulo éki no tonali no dépaato

後ろ に 住んで います。
うし す
ushiro ni sunde imasu
no ouchilo ni soun'dé imass')

3. 葉書 を 二 十 枚 買いました。
は がき に じゅう まい か
hagaki o ni jû mai kaimashita
(hagaki o ni djuu maill' kaïmach'ta)

4. ギリシャ 料理 は 駅 の 後 の
りょうり えき うしろ
girisha ryôri wa eki no ushiro no
(guilicha lyooli oua éki no ouchilo no

11 Pour dix, ça fait mille cent yens.
(dix-feuille / [moyen] / mille-cent-yen / [but] /
devenir)

12 — Voilà. Mille cent yens.
(oui) (mille-cent-yen / c'est)

13 — Merci beaucoup.

タバコ屋 の 左 に あります。
tabakoya no hidari ni arimasu
(tabakoya no hidali ni alimass')

5. ちょっと 見せて 下さい。
chotto misete kudasai
(tchot'to missété koudassaill')

Exercices

1. Non ce n'est pas la poste.
2. J'habite derrière le grand magasin jouxtant la gare de Meguro.
3. J'ai acheté vingt cartes postales.
4. Le restaurant grec se trouve à gauche du bureau de tabac derrière la gare.
5. Montrez-le-moi un peu.

…に 言葉 を 入れ なさい。
ni koto ba o i re na sa i

1. *Quel est le tarif pour une carte postale pour les Etats-Unis ?*

amerika made . . hagaki . . ryôkin wa

. . . .

2. *Où se trouve la librairie ?*

hon.ya . . doko . . . .

3. Donnez-moi cinq cartes postales.

hagaki o . . . .

4. Cela fait mille yens.

. . . . . . ni . . . .

****

だい に じゅうさん か
第二十三課

し ごと
仕事

dai ni jû san ka
(daill' ni djuu san.n' ka)

shi goto
(chigoto)

1 - うえ の むすこ さんは お げんき
上 の 息子 さん は お 元気
ue no musu ko sa n wa o gen ki
(oué no moussouko san.n' oua o guèn'ki

です か。(1)
de su ka
dèss' ka)

2 - ことし だいがく を そつぎょう しました。
今年 大学 を 卒業 しました。
kotoshi dai gaku o sotsu gyô shi ma shi ta
(kotochi daill'gakou o sotsougyoo chimach'ta)

3 - とうだい でした ね。(2)(3)
東大 でした ね。
tô dai de shi ta ne
(toodaill' dèch'ta né)

NOTES

(1) むす こ 息子 さん *musuko san* (moussouko san.n') ne se dira que pour le fils de quelqu'un d'autre (cf. leçon 15, notes 1 et 3). お げん き 元気 *o genki* (o guèn'ki) ne s'emploie que pour parler d'une autre personne. Pour soi-même (ou pour quelqu'un de sa propre famille), on dira 元気 *genki* (guèn'ki). De même plus loin, phrase 6, お つと 勤め *o tsutome* (o tsoutomé). つと 勤め *tsutome* (tsoutomé) tout seul

5. *C'est juste à droite.*

. . . .

Réponses : 1. - no - no - ikura desu ka. 2. - wa - ni arimasu ka.
3. - go mai kudasai. 4. sen en - narimasu. 5. sugu migi ni
arimasu.

****

Le travail   **Vingt-troisième leçon**
(travail)   **(ième / deux-dix-trois / leçon)**

 1 — Comment va votre fils aîné ?
      (dessus / [relation] / fils / [annonce] / [politesse]-
      bonne santé / c'est / [question])

 2 — Il a terminé l'Université cette année.
      (cette année / Université / [objet] / diplôme-avoir
      fait)

 3 — C'était bien l'Université de Tôkyô ?
      (Université de Tôkyô / c'était / [accord])

NOTES (suite)

veut dire "un emploi". Le お *o* qui précède est
simplement la marque de ce que ce terme s'applique à
une personne qui n'est ni soi-même ni un membre de la
famille.
(2) 東大 *tôdai* (toodaill') est l'abréviation de *Tôkyô
daigaku* (東京 大学) (tookyoo daill'gakou). C'est très
souvent que les Japonais fabriquent des abréviations en
ne retenant qu'un caractère chinois *(kanji)* là où il y en a
plusieurs pour former un mot.
L'Université de Tôkyô, Université d'Etat, est la meilleure
du Japon. Elle fournit les cadres des plus grandes
entreprises ainsi que les chercheurs et les fonctionnaires
de haut niveau.
(3) でした *deshita* (déch'ta), forme passée de です *desu*
(dèss') ; signifie donc "c'était".

Leçon 23

4 - はい、そう です。
　　ha i , 　sô 　de su
　　(haïll', soo dèss')

5 - それ は おめでとうございます。(4)
　　so re 　wa o me de 　tô 　go za i ma su
　　(solé oua omédétoo gozaïmass')

6 どこ に お・勤め です か。(1)
　　do ko 　ni 　o tsuto me 　de su 　ka
　　(doko ni o tsoutomé dèss' ka)

7 - 四月 から 自動車 関係 の 会社 に
　　shi gatsu ka ra ji dô sha 　kan kei no kai sha ni
　　(chigatsou kala djidoocha kan.n'keill' no kaill'cha ni

勤めて います。
tsuto me te 　i ma su
tsoutomété imass')

8 - それ は よろしい です ね。(5)
　　so re 　wa 　yo ro shi i 　de･su 　ne
　　(solé oua yolochïi dèss' né)

9 - でも 今 入院 して います。
　　de mo 　ima 　nyû in 　shi te 　i ma su
　　(démo ima nyuu.in' chité imass')

10 五月 に 交通 事故 に
　　go gatsu 　ni 　kô tsû 　ji ko 　ni
　　(gogatsou ni kootsouou djiko ni

あいました。
a i ma shi ta
aïmach'ta)

11 - それ は お気の毒 に。(6)
　　so re 　wa 　o ki no doku 　ni
　　(solé oua okinodokou ni)

12 その後 いかが です か。
　　so no go 　i ka ga 　de su 　ka
　　(sonogo ikaga dèss' ka)

4 — Oui, c'est ça.

5 — Toutes mes félicitations.

6   Où travaille-t-il ?
     (où / [lieu] / [politesse]-emploi / c'est / [question])

7 — Depuis avril il travaille dans une société d'automo-
     biles.
     (avril / depuis / voiture-lien / [relation] / société /
     [lieu] / travailler)

8 — C'est vraiment bien !
     (cela / [annonce] / être bien / c'est / [accord])

9 — Mais en ce moment il est à l'hôpital.
     (mais / maintenant / entrée à l'hôpital-faire)

10   En mai il a eu un accident.
     (mai / [temps] / circulation-accident / [but] /
     avoir rencontré)

11 — C'est vraiment ennuyeux !

12   Depuis, comment va-t-il ?
     (depuis / comment / c'est / [question])

NOTES (suite)

(4) Formule consacrée pour offrir ses félicitations quand surgit un événement heureux. Sert aussi à souhaiter la bonne année.

(5) よろしい *yoroshii* (yolochïï). Nous sommes ici dans un dialogue où les partenaires se manifestent une certaine politesse. Dans un tel cadre, l'emploi de l'adjectif いい *ii* (ïï), passe-partout, que nous avons souvent rencontré, n'est pas possible. Il sera remplacé par よろしい *yoroshii*. Nous pourrions dire que いい です *ii desu* (ïï dèss') est le degré moyen, et よろしい です *yoroshii desu* (yolochïï dèss'), le degré plus.

(6) Littéralement : "c'est à plaindre".

123

13- おかげさま で、 よく なりました。
o ka ge sa ma de, yo ku na ri ma shi ta.
(okaguéssama dé yokou nalimach'ta)

らいしゅう たいいん
来週 退院 します。(7)
rai shû tai in shi ma su
(laill'chuu taill'in' chimass')

あんしん
14- 安心 しました。
an shin shi ma shi ta
(an.n'chin' chimach'ta)

———————

れんしゅう
練習

renshû
(lèn'chuu)

きのう あさ
1. 昨日 の 朝 でした。
kinô no asa deshita
(kinoo no assa déch'ta)
らいしゅう きんえん
2. 来週 から 禁煙 します。
raishû kara kin.en shimasu
(laill'chuu kala kin'èn' chimass')
じ どうしゃ し がつ か
3. 自動車 は 四月 に 買いました。
jidôsha wa shigatsu ni kaimashita
(djidoocha oua chigatsu ni kaïmach'ta)
だいがく そつぎょう
4. いつ 大学 を 卒業 しました か。
itsu daigaku o sotsugyô shimashita ka
(itsou daill'gakou o sotsougyoo chimach'ta ka)
ぼっ げんき
5- お坊ちゃん は お 元気 です か。
- obotchan wa o genki desu ka.
(obot'tchan.n' oua o guèn'ki dèss' ka)

げんき
ーおかげさま で、元気 です。
- okagesama de, genki desu.
(okaguéssama dé, guèn'ki dèss')

13 — Bien. Merci. Il sort la semaine prochaine.
(grâce à vous / bien / être devenu) (semaine prochaine / sortie de l'hôpital-faire)

14 — Je suis rassurée !
(tranquillité-avoir fait)

NOTES (suite)

(7) おかげさま で *okagesama de* (okaguéssama dé), littéralement : "grâce à vous". En fait, c'est la formule habituelle pour remercier quelqu'un de demander de vos nouvelles ou des nouvelles d'un de vos proches.

——————

Exercices

1. C'était hier matin.
2. A partir de la semaine prochaine je ne fume plus.
3. J'ai acheté ma voiture en avril.
4. Quand a-t-il eu son diplôme ?
5. - Comment va votre petit garçon ? - Très bien. Merci.

…に 言葉 を 入れ なさい。
ni koto ba o i re na sa i

1. *Où travaille votre fils aîné ?*

ue no musuko . . . . . doko ni . tsutome desu ka

Leçon 23

125

2. *J'habite à Tôkyô depuis cette année.*

. . . . tôkyô ni sunde . . . . .

3. *C'était une société d'automobiles.*

. . . . kankei . . . .

4. *J'irai en avril ou en mai.*

shi . . . . . ka . . . . ni ikimasu

****

<ruby>第二十四課<rt>だい に じゅう よん か</rt></ruby> アパート
dai ni jû yon ka　　　　　　　a pâ to
(daill' ni djuu yon.n' ka)　　　(apaato)

1 - やっと　いい　アパート　が
ya t to　i i　a pâ to　ga
(yat'to ïï apaato ga

みつかりました。
mi tsu ka ri ma shi ta
mitsoukalimach'ta)

2 とても　<ruby>狭い<rt>せま</rt></ruby>　です。
to te mo　sema i　de su
(totémo sémaill' dèss')

3 けれども　<ruby>駅<rt>えき</rt></ruby>　から　<ruby>歩いて<rt>ある</rt></ruby><ruby>五分<rt>ご ふん</rt></ruby>
ke re do mo　e ki ka ra　aru i te　go fun
(kélédomo éki kala alouïté go foun'

です。
de su
dèss')

4 - それ　は　<ruby>便利<rt>べん り</rt></ruby>　です　ね。
so re wa　ben ri　de su　ne
(solé oua bèn'li dèss' né)

5. *J'attendrai jusqu'à dimanche prochain.*

raishû . . . . machimasu

Réponses : 1. - san wa - o -. **2.** kotoshi kara - imasu. **3.** jidôsha - no kaisha deshita. **4.** - gatsu - gogatsu -. **5.** - no nichiyôbi made -.

****

L'appartement   **Vingt-quatrième leçon**
(appartement)   **(ième / deux-dix-quatre / leçon)**

1 — J'ai enfin trouvé un appartement bien.
(enfin / être bien / appartement / [sujet] / avoir été trouvé)

2   Il est très petit.
(très / être étroit / c'est)

それ は 便利 です ね。

3   Cependant, il est à cinq minutes de la gare, à pied.
(cependant / gare / depuis / en marchant / cinq-minute / c'est)

4 — Ça c'est pratique !
(cela / [annonce] / pratique / c'est / [accord])

Leçon 24

5　でも　うるさく　ありません　か。
de mo　u ru sa ku　a ri ma se n　ka
(démo ouloussakou alimassèn' ka)

6 - 電車　の　音　は　全然　聞こえません
den sha　no　oto　wa zen zen　ki ko e ma se n
(dèn'cha no oto oua zèn'zèn' kikoémassèn'

が、隣　の　幼稚園　の　子供　が
ga, tonari no　yô chi en　no　ko do mo ga
ga, tonali no yootchi.èn' no kodomo ga

うるさい　です。(1)
u ru sa i　de su
ouloussaill' dèss')

7 - 何　階　です　か。
nan kai　de su　ka
(na.n' kaill' dèss' ka)

8 - 四　階　です。(2)
yon kai　de su
(yon.n' kaill' dèss')

9 - 眺め　は　いかが　です　か。
naga me wa　i ka ga　de su　ka
(nagamé oua ikaga dèss' ka)

10- それ　が…　ちょうど　向かいに二
so re　ga...　chô do　mu ka i ni ni
(solé ga) (tchoodo moukaï ni ni

十　階　の　ビル　が　立って　います
juk kai no bi ru ga ta t te i ma su
djuk' kaill' no bilou ga tat'té imass'

から、何も　見えません。(2)
ka ra,　nanimo　mi e ma se n
kala, nanimo miémassèn')

5   Mais ce n'est pas bruyant ?
    (mais / ne pas être bruyant / [question])

6 — Je n'entends absolument pas le bruit des trains,
    mais les enfants de la maternelle d'à côté sont
    bruyants.
    (train / [relation] / bruit / [annonce] / absolument
    pas / ne pas être audible / mais // voisin /
    [relation] / jardin d'enfants / [relation] / enfant /
    [sujet] / être bruyant / c'est)

7 — C'est à quel étage ?
    (quoi-étage / c'est / [question])

8 — Au troisième.
    (quatre-étage / c'est)

9 — Comment est la vue ?
    (vue / [annonce] / comment / c'est / [question])

10 — Ah ça ! Comme il y a un immeuble de dix-neuf
    étages juste en face, je ne vois rien.
    (cela / [sujet]) (juste / en face / [lieu] / deux-
    dix-étages / [relation] / bâtiment / [sujet] / se
    dresser / parce que // rien / ne pas être visible)

NOTES
(1) Dans la traduction décomposée, nous adopterons
désormais un nouveau signe : les deux traits obliques //
qui indiqueront la séparation entre deux propositions.
C'est que nous avançons ! Et nous allons rencontrer
maintenant des phrases un petit peu plus longues. C'est
normal !
(2) Non, ce n'est pas une erreur ! 四 *yon* (yon.n') veut bien
dire "quatre", comme dans le numéro de la leçon ! Et
pourtant 四 階 *yonkai* (yon.n'kaill') doit être traduit par
"troisième étage". C'est simplement une question de
procédé de numérotation. Les Japonais appellent 一 階
ikkai (ik' kaill'), littéralement "un-étage", ce que nous
appelons "rez-de-chaussée". 二 階 *nikai* (ni kaill')
(deux-étage) signifiera donc "premier étage" et ainsi de
suite. Il y a aura toujours un décalage d'une unité.
Regardez aussi la phrase 10, et comptez bien...

Leçon 24

11 家賃 だけ が 気 に 入って
ya chin da ke ga ki ni i tte
(yatchin' daké ga ki ni it'té

います。
i ma su
imass')

12 それほど 高く ありません。
so re ho do taka ku   a ri ma se n
(soléhodo takakou alimassèn')

練習
renshû
(lèn'chuu)

1. 私 の アパート は 十二 階 に
watakushi no apâto wa jû ni kai ni
(ouatakouchi no apaato oua djuu ni kaill' ni

あります。
arimasu
alimass')

2. 電車 の 音 は 聞こえません が 自動車
densha no oto wa kikoemasen ga jidôsha
(dèn'cha no oto oua kikoémassèn' ga djidoocha

の 音 は 聞こえます。
no oto wa kikoemasu.
no oto oua kikoémass')

3. 眼鏡 を 忘れました から、 何も
megane o wasuremashita kara, nanimo
(mégané o ouassoulémach'ta kala, nanimo

見えません。
miemasen
miémassèn')

11 Seul le loyer me plaît.
(loyer / seulement / [sujet] / esprit / [lieu] / entrer)

12 Ce n'est pas tellement cher !
(à ce point / ne pas être cher)

―――――――

4. デパート まで バス で 七 分 です
depâto made basu de nana fun desu
(dépaato madé bassou dé nanafoun' dèss'

から、便利 です。
kara, benri desu
kala, bèn'li dèss')

5. ―うるさく ありません か。
- urusaku arimasen ka.
(ouloussakou alimassèn' ka)

―全然 うるさく ありません。
- zenzen urusaku arimasen
(zèn'zèn' ouloussakou alimassèn')

―――――――

Exercices

1. Mon logement se trouve au onzième étage.
2. Je n'entends pas le bruit du train, mais celui des voitures.
3. Comme j'ai oublié mes lunettes, je ne vois rien.
4. Comme c'est à sept minutes en bus du grand magasin, c'est pratique.
5. - Ce n'est pas bruyant ? - Pas du tout.

―――――――

…に 言葉 を 入れ なさい。
ni koto ba o i re na sa i

1. *Je n'achète rien.*

. . . . : . . . .

131

2. *J'entends le bruit du jardin d'enfants.*

yôchien . . . .

3. *Comme c'est loin, j'y vais en bus.*

tooi desu . . . . . , ...

4. *Ce n'est pas tellement loin.*

. . . .

****

だい に じゅう ご か
第二十五課　　　　　　小説
dai ni jû go ka　　　　　shô setsu
(daill' ni djuu go ka)　　　(choossètsou)

1 - 今　小説　を　書いて　います。
ima shô setsu　o　ka i te　i ma su
(ima choossètsou o kaïté imass')

2 - へえ、　どんな　小説　です　か。
he e,　do n na　shô setsu　de su　ka
(héé, don'na choossètsou dèss' ka)

3 - 推理　小説　です。
sui ri　shô setsu de su
(souïli choossètsou dèss')

4 - 出版　する　つもり　です　か。
shup pan　su ru　tsu mo ri　de su　ka
(chup'pan.n' soulou tsoumoli dèss' ka)

5 - まだ　わかりません。
ma da　wa ka ri ma se n
(mada ouakalimassèn')

6 - どんな　話　です　か。
do n na　hanashi de su　ka
(don'na hanachi dèss' ka)

5. *Je vois seulement le bâtiment de droite.*

. . . . ga miemasu

Réponses : 1. nanimo kaimasen. **2.** - no oto ga kikoemasu. **3.** - kara, basu de ikimasu. **4.** sorehodo tooku arimasen. **5.** migi no biru dake -.

****

Le roman   **Vingt-cinquième leçon**
(roman)   **(ième / deux-dix-cinq / leçon)**

1 — En ce moment j'écris un roman.
    (maintenant / roman / [objet] / écrire)

2 — Ah ! Quelle sorte de roman ?
    (ah / de quelle sorte / roman / c'est / [question])

3 — Un roman policier.
    (roman policier / c'est)

推理小説 です。

4 — Vous avez l'intention de le publier ?
    (publication-faire / intention / c'est / [question])

5 — Je ne sais pas encore.
    (pas encore / ne pas savoir)

6 — Qu'est-ce que ça raconte ?
    (de quelle sorte / histoire / c'est / [question])

Leçon 25

7 - 主人公 は ファッション・モデル
shu jin kô wa fa s sho n mo de ru
(chudjin'koo oua fach'chon.n' modèlou

です。
de su
dèss')

8 知らないで スパイ と 結婚 します。
shi ra na i de su pa i to kek kon shi ma su
(chilanaill'dé s'paill' to kèk'kon.n' chimass')

9 - おもしろそう です ね。(1)
o mo shi ro sô de su ne
(omochilossoo dèss' né)

10 何 ページ ぐらい に なりますか。
nan pê ji gu ra i ni na ri ma su ka
(nan.n' péédji goulaill' ni nalimass' ka)

11 - 五 百 ページ ぐらい に なる
go hyaku pê ji gu ra i ni na ru
(go hyakou péédji goulaill' ni nalou

と 思います。
to omo i ma su
to omoïmass')

12 - へえ。長い です ね。
he e. naga i de su ne
(héé) (nagaill' dèss' né)

13 もう どのぐらい 書きました か。
mô do no gu ra i ka ki ma shi ta ka
(moo donogoulaill' kakimach'ta ka)

14 - まだ 五 ページ です。
ma da go pê ji de su
(mada go péédji dèss')

7 — L'héroïne est un mannequin.
(héros / [annonce] / mode-modèle / c'est)

8   Sans le savoir elle épouse un espion.
(sans le savoir / espion / [accompagnement] /
mariage / faire)

9 — Ça a l'air passionnant !
(avoir l'air intéressant / c'est / [accord])

10   Il y aura combien de pages à peu près ?
(quoi-page / à peu près / [but] / devenir /
[question])

11 — Je pense que ça fera à peu près cinq cents pages.
(cinq-cent-page / à peu près / [but] / devenir /
[citation] / penser)

12 — Quoi ! C'est long !
(quoi !) (être long / c'est / [accord])

13   Combien en avez-vous déjà écrit ?
(déjà / combien environ / avoir écrit / [question])

14 — Seulement cinq.
(jusqu'à maintenant / cinq-page / c'est)

NOTES
(1) おもしろそう *omoshirosô* (omochilosoo). Nous connaissons bien おもしろい *omoshiroi* (omochiloill') "être
intéressant". Si on remplace le い *i* de l'adjectif par そう
sô (soo), on obtient おもしろそう *omoshirosô,* qui veut
dire : "avoir l'air intéressant".

*****

練習
renshû
(lèn'chuu)

1. 駅 まで どのぐらい です か。
(eki made donogurai desu ka
(éki madé donogoulaill' dèss' ka)

2. この お 菓子 は おいしそう です ね。
kono o kashi wa oishisô desu ne
(kono o kachi oua oïchissoo dèss' né)

3. どんな 本 を 買いました か。
donna hon o kaimashita ka
(don'na hon.n' o kaïmach'ta ka)

4. 再婚 する つもり です。
saikon suru tsumori desu
(saill'kon.n' soulou tsoumoli dèss')

5. 来週 退院 する と 思います。
raishû tai.in suru to omoimasu
(laill'chuu taill'in' soulou to omoïmass')

…に 言葉 を 入れ なさい。

ni koto ba o i re na sa i

1. *Je pense que je vais le publier.*

shuppan . . . . . . omoimasu

****

Exercices

1. Il y a à peu près combien jusqu'à la gare ?
2. Ce gâteau a l'air délicieux.
3. Vous avez acheté quel genre de livre ?
4. J'ai l'intention de me remarier.
5. Je pense qu'il sortira de l'hôpital la semaine prochaine.

---

2. *J'ai l'intention de devenir chanteur.*

kashu . . . . . . tsumori desu

3. *C'est quel genre de personne ?*

. . . .

4. *Je suis en train d'écrire une carte postale.*

hagaki o . . . .

5. *Ces fourchettes ont l'air chères.*

kono fôku wa . . . . . . desu

Réponses : 1. - suru to -. **2.** - ni naru -. **3.** donna hito desu ka.
4. - kaite imasu. **5.** - takasô -.

****

137

第二十六課　中国 へ 行く

だい に じゅうろっ か　ちゅうごく　い

dai ni jû rok ka　chû goku　e　i ku
(daill' ni djuu lok' ka)　(tchuugokou é ikou)

1 - 来年 の 春 に 中国 へ 行く
らいねん　はる　ちゅうごく　い
rai nen no haru ni chû goku e i ku
(laill'nèn' no halou ni tchuugokou é ikou

つもり でした。
tsu mo ri de shi ta
tsoumoli dèch'ta)

2 - 中国語 は できます か。(1)
ちゅうごく ご
chû goku go wa de ki ma su ka
(tchuugokougo oua dékimass' ka)

3 - 私 は できません。
わたくし
watakushi wa de ki ma se n
(ouatakouchi oua dékimassèn')

4 けれども 息子 は よく できます
むす こ
ke re do mo musu ko wa yo ku de ki ma su
(kélédomo moussouko oua yokou dékimass'

から、つれて 行く つもりでした。(2)(3)
い
ka ra, tsu re te i ku tsu mori de shi ta
kala, tsoulété ikou tsoumoli dèch'ta)

5 しかし 息子 は 都合 が 悪く
むす こ　つごう　わる
shi ka shi musu ko wa tsu gô ga waru ku
(chikachi moussouko oua tsougoo ga oualoukou

なりました。
na ri ma shi ta
nalimach'ta)

6 - 中国 へ 何をしに 行きますか。
ちゅうごく　なに　い
chû goku e nani o shi ni i ki ma su ka
(tchuugokou é nani o chi ni ikimass' ka)

Voyage en Chine　　　　**Vingt-sixième leçon**
(Chine / [destination] / aller)　　**(ième / deux-dix-six**
　　　　　　　　　　　　　　　/ leçon)

1 — J'avais l'intention d'aller en Chine au printemps
　　prochain.
　　(année prochaine / [relation] / printemps / [temps]
　　/ Chine / [destination] / aller / intention / c'était)

2 — Vous parlez chinois ?
　　(Chine-langue / [annonce] / être possible /
　　[question])

3 — Moi, non.
　　(moi / [annonce] / ne pas être possible)

4　　Mais comme mon fils le parle très bien, j'avais
　　l'intention de l'emmener.
　　(cependant / mon fils / [annonce] / bien / être
　　possible / parce que // accompagner / aller /
　　intention / c'était)

5　　Or, il se trouve qu'il a un empêchement.
　　(mais / mon fils / [annonce] / circonstances /
　　[sujet] / mauvais / être devenu)

6 — Qu'est-ce que vous allez faire en Chine ?
　　(Chine / [destination] / quoi / [objet] / faire / [but]
　　/ aller / [question])

NOTES

(1) Le nom d'un pays suivi du mot 語 *go* sert à désigner
la langue de ce pays. 中国 *chûgoku* (tchuugokou), "la
Chine", 中国語 *chûgokugo* (tchuugokougo) "la langue
chinoise". 日本 *nihon* (nihon.n'), "le Japon", 日本語
nihongo (nihon.n'go), "la langue japonaise", "le japonais".

(2) Ici 息子 *musuko* (moussouko) (cf. leçon 23, phrase 1),
car ce monsieur parle de son propre fils.

(3) つれて 行く *tsurete iku* (tsoulété ikou). Notons
seulement pour l'instant que lorsque deux verbes se
suivent directement, le premier se met à cette forme se
terminant par て *te* (té).

7 - 仕事 と 観光 です。
shi goto to kan kô de su
(chigoto to kan.n'koo dèss')

8 - 私 は 中国語 が 少し
watakushi wa chû goku go ga suko shi
(ouatakouchi oua tchuugokougo ga soukochi

できます から、お 供 しましょう か。
de ki ma su ka ra, o tomo shi ma shô ka
dékimass' kala, o tomo chimachoo ka)

9 それ に 来年 の 春 は 暇 です。
so re ni rai nen no haru wa hima de su
(soléni laill'nèn' no halou oua hima dèss')

10 - それ は たすかります。 ぜひ
so re wa ta su ka ri ma su. ze hi
(solé oua tassoukalimass') (zéhi

おねがい します。
o ne ga i shi ma su
onégaï chimass')

11 今度 の 月曜日 の 晩 一緒 に
kon do no getsu yô bi no ban is sho ni
(kon.n'do no gètsouyoobi no ban.n' ich'cho ni

食事 を しましょう。
shoku ji o shi ma shô
chokoudji o chimachoo)

12 - はい、そう しましょう。
ha i, sô shi ma shô
(haill', soo chimachoo)

———

7 — J'y vais pour le travail et pour le tourisme.
(travail / et / tourisme / c'est)

8 — Comme je sais un peu le chinois, je pourrais aller avec vous.
(moi / [annonce] / Chine-langue / [sujet] / un peu / être possible / parce que // [politesse]-compagnon-faisons / [question])

中国語 が できます か。

9 De plus, je suis libre au printemps prochain.
(de plus / année prochaine / [relation] / printemps / [annonce] / temps libre / c'est)

10 — Ah, vous me sauvez ! Alors vous viendrez !
(cela / [annonce] / sauver) (absolument / je vous prie)

11 Lundi prochain au soir, dînons ensemble !
(cette fois-ci / [relation] / lundi / [relation] / soir / ensemble / [adverbial] / repas [objet] / faisons)

12 — Oui, d'accord.
(oui / ainsi / faisons)

練習
れんしゅう

renshû
(lèn'chuu)

1. イギリス人 の 友達 を ピクニック
   じん　　　ともだち
   igirisujin no tomodachi o pikunikku
   (iguilissoudjin' no tomodatchi o pikounik'kou

   に 誘う つもり です。
   きそ
   ni sasou tsumori desu
   ni sassöou tsoumoli dèss')

2. 息子 さん は フランス語 が できます
   むすこ　　　　　　　　　　　ご
   musuko san wa furansugo ga dekimasu
   (moussouko san.n' oua foulan.n'sougo ga dékimass'

   か。
   ka
   ka)

3. 本屋 へ 何 を 買い に 行きます か。
   ほんや　　なに　　か　　　　　い
   honya e nani o kai ni ikimasu ka
   (hon.n'ya é nani o kaï ni ikimass' ka)

4. 暇 です から、 映画 を 見 に
   ひま　　　　　　　　えいが　　み
   hima desu kara, eiga o mi ni
   (hima dèss' kala, eill'ga o mi

   行きましょう。
   い
   ikimashô
   ni ikimachoo)

5. 郵便局 へ 行きます。 子供 を つれて
   ゆうびんきょく　い　　　　　こども
   yûbinkyoku e ikimasu. kodomo o tsurete
   (yuubin'kyokou é ikimass') (kodomo o tsoulété

   行きます。
   い
   ikimasu
   ikimass')

---

* *

Exercices

1. J'ai l'intention d'inviter mes amis anglais à un pique-nique.
2. Votre fils parle-t-il français ?
3. Qu'allez-vous acheter à la librairie ?
4. Puisque nous sommes libres, allons au cinéma.
5. Je vais à la poste. J'emmène les enfants.

…に 言葉 を 入れ なさい。

ni koto ba o i re na sa i

1. *L'année prochaine j'achèterai une voiture.*

. . . . kaimasu

2. *Je parle un peu japonais.*

. . . .

3. *J'irai samedi prochain.*

. . . .

4. *Le pain, je n'en mange qu'un peu.*

pan . . . . dake tabemasu

5. *J'ai eu un empêchement.*

tsugô ga . . . . mashita

Réponses : 1. rainen jidôsha o -. 2. nihongo ga sukoshi
dekimasu. 3. kondo no doyôbi ni ikimasu. 4. - wa sukoshi -. 5.
- waruku nari -.

****

第二十七課　飛行場　に　着く
だい に じゅう なな か　　　　ひ こうじょう　　　　　つ

dai ni jû nana ka　hi kô jô　ni　tsu ku
(daill' ni djuu nana ka)　(hikoodjoo ni tsoukou)

1 - もし　もし。　正子　です。
まさ こ

mo shi mo shi. masa ko de su
(mochi mochi) (massako déss')

2 - 飛行機　は　決まりました　か。
ひ こう き　　　き

hi kô ki　wa　ki ma ri ma shi ta　ka.
(hikooki oua kimalimach'ta ka)

いつ　着きます　か。
つ

i tsu　tsu ki ma su　ka
(itsou tsoukimass' ka)

3 - 日航　の　四　百　五　十　三　便
にっこう　　　よん　ひゃく　ご　じゅう　さん　びん

nik kô　no　yon　hyaku　go　jû　san　bin
(nik'koo no yon.n' hyakou go djuu san.n bin'

で、　しあさって　の　午前　七　時
ご ぜん　しち　じ

de,　shi a sa tte　no go zen　shichi　ji
de, chiassat'té no gozèn' chitchi dji

十　五　分　に　成田　空港　に
じゅう　ご　ふん　　なり た　くうこう

jû　go　fun　ni　nari ta　kû kô　ni
djuu go foun' ni nalita kououkoo ni

着きます。　(1) (2)
つ

tsu ki ma su
tsoukimass')

4 - 飛行場　まで　迎え　に　行きます
ひ こうじょう　　　むか　　　　　い

hi kô jô　ma de　muka e　ni　i ki ma su
(hikoodjoo madé moukaé ni ikimass'

から　ね。
ka ra　ne
kala né)

Vingt-septième leçon
(ième / deux-dix-sept / leçon)
Arrivée à l'aéroport
(aéroport / [but] / arriver)

1 — Allo. Ici Masako.
   (allo) (Masako / c'est)

2 — Tu as décidé pour ton avion ? Tu arrives quand ?
   (avion / [annonce] / être décidé / [question])
   (quand / arriver / [question])

3 — J'arriverai à Narita dans deux jours, le matin à sept
   heures quinze par le vol Japan Air Lines 453.
   (Japan Air Lines / [relation] / quatre-cent-cinq-
   dix-trois-vol / [moyen] / après-après-demain /
   [relation] / matinée / sept-heure-dix-cinq-minute
   / [temps] / Narita-aéroport / [but] arriver)

4 — J'irai te chercher à l'aéroport.
   (aéroport / jusqu'à / aller à la rencontre / [but] /
   aller / parce que / [accord])

NOTES
(1) 日航 *nikkô* (nik'koo), abréviation de 日(本)
航(空) *nihon kôkû* (nihon.n' kookouou) (Japon / lignes
aériennes), nom de la compagnie nationale de navigation
aérienne, plus connu, chez nous, sous le nom de ''Japan
Air Lines''.
(2) 成田 *narita* (nalita), aéroport de Tôkyô.

5 - 朝 早い から、 箱崎 の エア・
asa haya i ka ra, hako zaki no e a
(assa hayaill' kala, hakozaki no éa-

ターミナル まで リムジン・バス で
tâ mi na ru ma de ri mu ji n ba su de
taaminalou madé limoujin' bassou dé

行きます。そこ で 会いましょう。(3)
i ki ma su. so ko de a i ma shô
ikimass') (soko dé aïmachoo)

6 - 大丈夫 です よ。 早く 会いたい
dai jô bu de su yo. haya ku a i ta i
(daill'joobou déss' yo) (hayakou aïtaill'

から 飛行場 まで 行きます。(4)
ka ra hi kô jô ma de i ki ma su
kala hikoodjoo madé ikimass')

7 必ず 行きます から、
kanara zu i ki ma su ka ra,
(kanalazou ikimass' kala,

待って て 下さい。
ma t te te kuda sa i
mat'té té koudassaill')

8 - そう です か。 悪い わ ね。(5)
sô de su ka. waru i wa ne
(soo dèss' ka) (oualouï oua né)

NOTES (suite)

(3) 箱崎 *hakozaki,* terminal au centre de Tôkyô. On
appelle リムジン・バス ''bus-limousine'' les autobus qui
assurent le service entre l'aéroport et le terminal du
centre-ville.

(4) L'expression 大丈夫 です *daijôbu desu*
(daill'djoobou dèss') est exactement l'équivalent de notre

5 — Comme c'est tôt le matin, je prendrai le bus jusqu'au terminal de Hakozaki. Retrouvons-nous là-bas.
(matin / être tôt / parce que // Hakozaki / [relation] / terminal / jusqu'à / limousine-bus / [moyen] / aller) (là / [lieu] / rencontrons-nous)

6 — Non, ça va. Comme j'ai hâte de te retrouver, j'irai à l'aéroport.
(sans problème / c'est / [engagement]) (vite / vouloir rencontrer / parce que // aéroport / jusqu'à / aller)

7   J'irai sans faute, alors attends-moi.
(sans faute / aller / parce que // attends)

8 — Bon. Mais ça m'ennuie.
(ah bon) (être mal / [adoucissement] / [accord])

NOTES (suite)

"ça va, ça ira". Elle sert à affirmer qu'on ne rencontre aucun obstacle dans la réalisation d'une action. Elle s'emploie donc très souvent !

(5) Après ね *ne* (né) et よ *yo*, voilà un autre spécimen de ces petits mots de fin de phrase : わ *wa* (oua). Mais attention, celui-ci se trouve **exclusivement** dans la bouche des femmes, et dans une situation de familiarité. C'est une sorte d'"adoucisseur", souvent employé après un verbe ou un adjectif au degré moins. Or ici, nous trouvons 悪い *warui* (oualouïï), tout seul. Jusque là nous avons toujours rencontré des expressions comme : いい です *ii desu* (ïï dèss') "c'est bien" (cf. leçon 2, phrase 5, leçon 9, phrase 2, etc.).

Nous avons toujours bien noté dans la traduction décomposée que いい *ii* (ïï), seul, voulait dire "être bien". Comme le verbe, l'adjectif a trois degrés. いい です *ii desu* (ïï dèss') est le degré moyen, いい tout seul le degré moins. Ici, わるい seul, est le degré moins. La conversation présentée se déroule entre des amis. Il arrive très fréquemment que dans ce type de conversation familière, on mélange les degrés moyens et les degrés moins.

9 - 荷物 は たくさん あります か。
ni motsu wa ta ku sa n a ri ma su ka
(nimotsou oua takoussan.n' alimass' ka)

10- 小さい バッグ 二つ だけ です。
chii sa i ba g gu futa tsu da ke de su
(tchïïssaill' bag'gou f'tatsou daké dèss')

11- えっ。 それ だけ。 おみやげ は?
e . so re da ke. o mi ya ge wa ?
(é) (solé daké) (omiyagué oua)

12- 心配 しないで。いい 物 を 買って
shin pai shi na i de . i i mono o ka t te
(chim'paill' chinaill'dé) (ïï mono o kat'té

来ました。
ki ma shi ta
kimach'ta)

13- じゃ。 兄 と 一緒 に 税関 を
ja . ani to is sho ni zei kan o
(dja) (ani to ich'cho ni zeill'kan.n' o

出た 所 で 待って います。
de ta tokoro de ma t te i ma su
déta tokolo dé mat'té imass')

14- それでは、 よろしく おねがい
so re de wa, yo ro shi ku o ne ga i
(solédéoua, yolochikou onégaï

します。
shi ma su
chimass')

───────────

9 — Tu as beaucoup de bagages ?
(bagage / [annonce] / beaucoup / se trouver / [question])

10 — Seulement deux petits sacs.
(être petit / sac / deux / seulement / c'est)

11 — Quoi ! Seulement ! Et les cadeaux ?
(quoi !) (cela / seulement) (cadeau / [annonce])

12 — Ne t'en fais pas. J'ai acheté des choses épatantes.
(inquiétude-ne fais pas) (être bien / chose / [objet] / acheter / être venu)

13 — Bon. Je t'attendrai avec mon frère là où on sort de la douane.
(bon) (frère aîné / [accompagnement] / ensemble / [adverbial] / douane / [objet] / avoir quitté / endroit / [lieu] / attendre)

14 — Bon, alors, c'est d'accord.
(alors / bien / je vous en prie)

練習
れんしゅう

renshû
(lèn'chuu)

1. 写真 が たくさん あります。
しゃしん
shashin ga takusan arimasu
(chachin' ga takoussan.n' alimass')

2. 飛行機 が 見えました か。
ひこうき　　　 み
hikôki ga miemashita ka
(hikooki ga miémach'ta ka)

3. この アパート は 小さい から
ちい
kono apâto wa chiisai kara
(kono apaato oua tchiïssaill' kala

買いません。
か
kaimasen
kaïmassèn')

4. 今日 行く 会社 は ここ から 近い
kyô iku kaisha wa koko kara chikai
(kyoo ikou kaill'cha oua koko kala tchikaill'

です。
desu
dèss')

5. 明日 の 午前 八 時 三 十 五 分
ashita no gozen hachi ji san jû go fun
(ach'ta no gozèn' hatchi dji san.n' djuu go foun'

に 着く と 思います。
ni tsuku to omoimasu
ni tsoukou to omoïmass')

———

…に 言葉 を 入れ なさい。
ni koto ba o i re na sa i

1. *J'y suis allé en avion.*

. . . .

2. *Retrouvons-nous vite.*

. . . .

****

第二十八課　　まとめ
dai ni jû hak' ka　　matome
(daill' ni djuu hak' ka)　　(matomé)

Nous avançons à grands pas. Mais il nous faut tenir régulièrement le compte de ce que nous avons acquis. Et surtout, répétons-le encore, prendre le temps de bien

Exercices

1. Il y a beaucoup de photos.
2. Avez-vous vu les avions ?
3. Je n'achète pas cet appartement parce qu'il est petit.
4. La société dans laquelle je me rends aujourd'hui est près d'ici.
5. Je pense qu'ils arriveront demain matin à huit heures trente-cinq.

———————

3. *Je suis arrivé hier matin à six heures douze.*

kinô . . . .

. . . ni tsukimashita

4. *Quand irez-vous en Chine ?*

. . . .

5. *J'ai deux grosses valises.*

ookii toranku ga . . . . arimasu

6. *Vous avez fabriqué un bel objet.*

ii . . . . . o tsukurimashita ne

Réponses : **1.** hikôki de ikimashita. **2.** hayaku aimashô. **3.** - no gozen roku ji jû ni fun -. **4.** itsu chûgoku e ikimasu ka. **5.** - futatsu. **6.** - mono -.

****

Révision et notes **Vingt-huitième leçon**
(ième / deux-dix-huit / leçon)

comprendre. Nous commençons à rencontrer des phrases plus longues. Il importe de bien y repérer chaque mot, à l'aide de la transcription et de la traduction décomposée. Et puis, comme on dit... "c'est un coup à prendre...".

Leçon 28

Vous vous habituerez progressivement à l'ordre des mots, et d'ici peu, il vous paraîtra tout à fait naturel (si ce n'est déjà fait !).

1. A partir d'un nom de pays, quel qu'il soit, vous pouvez facilement former :

— le mot qui désigne les habitants de ce pays. Il suffit d'ajouter 人 *jin* (djin'), qui veut dire "être humain" :

アメリカ *amerika* (amélika) : "l'Amérique",

アメリカ人 *amerikajin* (amélikadjin') : "un Américain", mais aussi "une Américaine, des Américains, des Américaines").

イギリス *igirisu* (iguilissou) : "l'Angleterre",

イギリス人 *igirisujin* (iguilissoudjin') : "un (des, les) Anglais, une (des, les) Anglaise(s)".

フランス *furansu* (foulan.n'sou) : "la France",

フランス人 *furansujin* (foulan.n'soudjin') : "un (des, les) Français, une (des, les) Française(s)".

中国 *chûgoku* (tchuugokou) : "la Chine",

中国人 *chûgokujin* (tchuugokoudjin') : "un (des, les) Chinois, une (des, les) Chinoise(s)".

日本 *nihon* (nihon.n') : "le Japon",

日本人 *nihonjin* (nihon.n'djin') : "un (des, les) Japonais, une (des, les) Japonaise(s)".

— le mot qui désigne la langue de ce pays : vous ajoutez 語 *go*, qui veut dire "langue" :

フランス語 *furansugo* (foulan.n'sougo) "le français",

中国語 *chûgokugo* (tchuugokougo) "le chinois",

日本語 *nihongo* (nihon.n'go) "le japonais".

Seule exception, l'anglais, qui se dit :

英語 *eigo* (eill'go).

— l'adjectif correspondant : il suffira de relier par le の *no* de relation le nom du pays à tout autre nom :

日本 の 映画 *nihon no eiga* (nihon.n' no eill'ga) "le cinéma japonais",

フランス の 映画 *furansu no eiga* (foulan.n'sou no eill'ga) ''le cinéma français'',
アメリカ の 映画 *amerika no eiga* (amélika no eill'ga) ''le cinéma américain''.

2. Vous êtes prêts maintenant pour faire des enquêtes : nous avons vu presque tous les mots qui servent à interroger.
Récapitulons-les :

何	*nan* ou *nani* (nan.n' - nani) : quoi ? (leçons 2, 5, 8, 16, 24...)
だれ	*dare* (dalé) : qui ? (leçon 19)
いつ	*itsu* (itsou) : quand ? (leçon 27)
どこ	*doko* (doko) : où ? (leçons 1, 4, 5, 15, 20, 22, 23...)
いかが	*ikaga* (ikaga) : comment ? (leçons 16, 19, 24)
いくら	*ikura* (ikoula) : combien ? (pour une quantité globale) (leçons 17, 22)
いくつ	*ikutsu* (ikoutsou) : combien ? (pour dénombrer) (leçon 15)
どのぐらい	*donogurai* (donogoulaill') : à peu près combien ? (leçon 25)
どちら	*dochira* (dotchila) : lequel des deux ? (leçon 10)
どんな	*donna* (don'na), suivi d'un nom : de quelle sorte ? (leçons 19, 25).

Il ne nous en manque plus que deux ou trois et nous en aurons fait le tour. Nous avons déjà beaucoup employé certains d'entre eux, d'autres moins, mais nous avons le temps, nous les retrouverons !

3. Mais il ne suffit pas de poser des questions... Il faut répondre, et donner dans les réponses des tas de précisions ! Dans la dernière leçon de révision (leçon 21, paragraphe 2), nous avons vu qu'un adjectif venant préciser un nom se place toujours avant lui. Ceci est un

Leçon 28

principe général, très important, du japonais : tout ce qui vient préciser un nom se place avant lui, quelle que soit la forme de cette précision. Cela peut être un adjectif (cf. leçon 21, paragraphe 2), mais aussi :

— un ou plusieurs autres noms. Dans ce cas, ils sont reliés au nom principal par la particule de relation の *no*, parfois en véritables cascades (cf. leçon 22, phrase 4 et exercices phrases 2 et 4 ; leçon 24, phrase 6 ; leçon 25, phrase 11 et exercices phrase 1).

— un verbe, seul (leçon 25, phrase 4 et exercices phrase 4 ; leçon 26, phrase 4), ou avec des compléments (leçon 26, phrase 1 et exercices phrase 1 ; leçon 27, phrase 13 et exercices phrase 4). Regardez bien ces phrases, relisez-les autant de fois qu'il le faut pour bien saisir leur construction, car c'est la seule construction possible là où nous employons en français toutes sortes de propositions relatives, complétives... Nous la rencontrerons donc sans cesse... et nous en reparlerons !

4. Avant d'attaquer les leçons suivantes, revenons un moment sur la question des degrés. Dans la leçon 21, paragraphe 4, nous l'avons expliqué pour les verbes. En fait, cela concerne tous les mots dont la forme peut varier, c'est-à-dire non seulement les verbes, mais aussi les adjectifs (et parfois même les noms bien qu'ils soient invariables !). Quelques exemples pour récapituler :

Verbes :	degré moyen	degré moins
faire	*shimasu* します	*suru* する

(leçon 25, phrase 4)

devenir	*narimasu* なります	*naru* なる

(leçon 25, phrase 11)

aller	*ikimasu* いきます	*iku* いく

(leçon 26, phrase 1)

avoir quitté *demashita* でました *deta* でた

(leçon 27, phrase 13)

Adjectifs :

être mal *warui desu* *warui*
わるい です わるい

(leçon 27, phrase 8)

Vient maintenant la question principale : quand employer le degré moyen, quand employer le degré moins. Il y a quelques principes simples :

4.1 S'il s'agit d'un verbe ou d'un adjectif qui se trouve **à la fin d'une phrase,** le degré est commandé par la situation. Ainsi dans la leçon 22, la conversation se tient entre des personnes qui ne se connaissent pas particulièrement : client et employé ; le degré moyen sera de rigueur. Dans la leçon 23, la conversation se tient entre des personnes qui se connaissent mais veulent garder une certaine distance : au degré moyen viennent s'ajouter quelques degrés plus. Par contre à la leçon 27 la conversation se tient entre des amis : au degré moyen viennent se mêler des formes au degré moins. Bien sûr, dans des cas extrêmes on pourra trouver des conversations très très très polies entièrement au degré plus, ou des conversations très très très familières entièrement au degré moins (entre les lycéens ou les étudiants par exemple), mais les frontières ne sont pas toujours si nettes.

Ce principe s'applique aussi aux verbes ou aux adjectifs se trouvant à la fin de **certaines** propositions : celles se terminant par が *ga* (cf. leçon 24, phrase 6) ou から *kara* (kala) (cf. leçon 22, phrase 9 ; leçon 24, phrase 10 ; leçon 26, phrase 4 ; leçon 27, phrases 4, 5, 6).

4.2 Dans tous les autres cas, un adjectif ou un verbe **à l'intérieur** d'une proposition ou d'une phrase sera au degré moins. Nous avons rencontré les deux cas

Leçon 28

principaux : un adjectif ou un verbe qui vient préciser un nom. Pour les adjectifs, cf. les exemples donnés à la leçon 21, paragraphe 2, et aussi leçon 24, phrase 1 : いい アパート *ii apâto* (ii apaato) ; leçon 27, phrase 10 : 小さい バッグ *chiisai baggu* (tchiïsaill' bag'gou). Pour les verbes, cf. leçon 25, phrase 4,

出版 する つもり です か

shuppan suru *tsumori desu ka* (chup'pan.n' soulou tsoumoli dèss' ka) "avez-vous l'intention **de le publier**" ; leçon 26, phrase 1,

来年 の 春 に 中国 へ 行く つもり でした。

rainen no haru ni chûgoku e iku *tsumori deshita* (laill'nèn' no halou ni tchuugokou e ikou tsoumoli dèch'ta) "J'avais l'intention **d'aller en Chine au printemps prochain**" ; leçon 27, phrase 13,

税関 を 出た 所

zeikan o deta *tokoro* (zeill'kan.n' o déta tokoro) "là où on sort de la douane". Ici, quelle que soit la situation, aucun choix possible : ce sera toujours le degré moins.

De même leçon 25, phrase 11,

五 百 ページ ぐらい に なる と 思います。

go hyaku pêji gurai ni naru *to omoimasu* (go hyakou péédji goulaill' ni nalou to omoïmass') "Je pense que **ça**

****

fera à peu près cinq cents pages''. Devant...
と 思います *to omoimasu* (... que /penser) ''je pense
que...'', on n'a pas non plus le choix : ce sera toujours un
degré moins.

Au premier abord cela paraît un système bien compliqué !
C'est seulement parce que nous n'avons rien de
semblable en français ! Répétons encore : pour l'instant
vous n'avez pas besoin de retenir, cela viendra à son
heure. Vous avez besoin de comprendre, de repérer les
différences, de saisir à quoi elles correspondent. Et
comme nous allons maintenant sans cesse employer ces
constructions où le degré moins est obligatoire, autant le
savoir et être attentifs dans les leçons qui viennent. De
toute façon, ne vous en faites pas, nous en reparlerons !
Et souvent !

5. Vous commencez maintenant à vous habituer à la
prononciation. Nous vous l'avions bien dit dès le début,
elle n'est pas difficile ! Nous commencerons donc dès
maintenant à nous détacher un peu de la prononciation
figurée. Dans les six leçons suivantes, nous la conserve-
rons encore pour le texte même de la leçon, mais nous la
supprimerons désormais dans les notes et dans les
exercices. Vous verrez, cela ne vous manquera pas du
tout !

****

第二十九課　　　　誕生日
だい に じゅうきゅう か　　　　たんじょう び

dai ni jû kyû ka　　　　tan jô bi
(daill' ni djuu kyuu ka)　　(tan.n'djoobi)

1 - 今度　の　火曜日　は、あなた
こん ど　　かようび

kon do　no　ka yô bi　wa,　a na ta
(kon.n'do no kayoobi oua, anata

の　誕生日　だ　から、どこか　で　お
たんじょうび

no　tan jô bi　da　ka ra, do ko ka de　o
no　tan.n'djoobi da kala, dokoka dé o

食事　しましょう。(1)
しょくじ

shoku ji　shi ma　shô
chokoudji chimachoo)

2　それから　お　芝居　か　音楽会
しば い　　　おんがっかい

so re ka ra　o　shiba i　ka　on gak kai
(solékala o chibaill' ka on.n'gak'kaill'

に　行かない？(2)
い

ni　i ka na i?
ni ikanaill')

3 - てんぷら　が　食べたい　な。(3) (4)
た

te n pu ra　ga　ta be ta i　na
(tèm'poula ga tabétaill' na)

4 - じゃ　それなら　上原　さん　が
うえはら

ja　so re na ra　ue hara　sa n　ga
(dja solénala, ouéhala san.n' ga

教えて　くれた　お　店　に
おし　　　　　　　　　み せ

oshi e te　ku re ta　o　mise　ni
ochiété kouléta o missé ni

行きましょう。(5) (6)
い

i　ki ma　shô
ikimachoo)

L'anniversaire
(anniversaire)

(ième / deux-dix-neuf / leçon)

1 — Mardi prochain, c'est ton anniversaire, allons dîner quelque part.
(cette fois / [relation] / mardi / [annonce] / toi / [relation] / anniversaire / c'est / parce que // quelque-part / [lieu] / [familiarité]-repas / faisons)

2 Et si on allait au théâtre ou au concert après ?
(ensuite / [familiarité]-théâtre / ou bien / concert / [but] / ne pas aller)

3 — Je mangerais bien de la tempura !
(tempura / [sujet] / être l'objet du désir de manger / [réflexion])

4 — Dans ce cas, allons au restaurant que m'a indiqué Mme Uehara.
(alors / dans ce cas / Uehara-Mme / [sujet] / enseigner / avoir fait pour moi / [familiarité]-commerce / [but] / allons)

NOTES

(1) La conversation se tient ici entre une femme et son mari. Les formes au degré moins seront majoritaires, partout où le choix existe entre degré moins et degré moyen (fin de phrase ; avant が *ga* et から *kara*). Pour commencer : だ *da,* degré moins de です *desu :* "c'est".

(2) 行かない *ikanai,* degré moins de 行きません *ikimasen :* "ne pas aller". Comme le ton est très familier, on n'emploie même plus か *ka* pour indiquer que l'on pose une question. Simplement l'intonation sera montante sur les dernières syllabes (comme nous le faisons d'ailleurs en français). Dans ce cas seulement, selon l'usage japonais, nous terminerons la phrase par un point d'interrogation.

(3) てんぷら *tempura,* sorte de beignets très légers, de poisson ou de légumes.

(4) な *na,* cf. leçon 19, note 5.

(5) くれた *kureta,* degré moins de くれました *kuremashita :* "avoir fait pour moi".

(6) 店 *mise,* terme très général pour tout commerce, y compris donc les restaurants.

5 - ぴあ は どこ。(7)
pi a wa do ko?
(piya oua doko)

6 - そこ の ピアノ の 上 に ある
so ko no pi a no no ue ni a ru
(soko no piano no oué ni alou

から 取って。(8)
ka ra to t te
kala tot'té)

7 お 芝居 は 何 ページ に
o shiba i wa nan pê ji ni
(o chibaill' oua nan.n' peedji ni

出て いる？ 音楽会 は？(9)
de te i ru? on gak kai wa?
dété ilou) (on.n'gak'kaill' oua)

8 音楽会 なら 今 サモロビッチ
on gak kai na ra ima sa mo ro bi t chi
(on.n'gak'kaill' nala ima samolobit'tchi

が 日本 に 来て いる から、聞き
ga ni hon ni ki te i ru ka ra, ki ki
ga nihon.n' ni kité ilou kala, kiki

に 行きましょう。(10)
ni i ki ma shô
ni ikimachoo)

9 それとも 歌舞伎 なら 今 五三郎 が (11)
so re to mo ka bu ki na ra ima go sabu rô ga
(solétomo kabouki nala ima gossabouloo ga

「四谷 怪談」を やって いる わ よ。(12)(13)
yotsu ya kai dan o ya t te i ru wa yo
yotsouya kaill'dan.n' o yat'té ilou oua yo)

5 — Où est Pia ?
(Pia / [annonce] / où)

6 — Sur le piano là, passe-le-moi.
(là / [relation] / piano / [relation] / dessus / [lieu] /
se trouver / parce que // prends)

7 Les théâtres sont à quelle page ? Et les concerts ?
([familiarité]-théâtre / [annonce] / quoi-page /
[lieu] / sortir) (concert / [annonce])

8 Pour les concerts, en ce moment Samorovitch est
au Japon, allons l'écouter.
(concert / [annonce] / maintenant / Samorovitch
/ [sujet] / Japon [but] / venir / parce que //
écouter / [but] / allons)

9 Ou alors, au kabuki, Gosaburô donne en ce
moment "Fantômes à Yatsuya".
(ou bien / kabuki / si c'est / maintenant /
Gosaburô / [sujet] / Yotsuya-histoires de fantômes / [objet] / faire / [adoucissement] /
[engagement])

NOTES (suite)

(7) ぴあ *pia*, magazine hebdomadaire donnant la liste de
tous les spectacles de Tôkyô.

(8) ある *aru*, degré moins de あります *arimasu* : "se
trouver".

(9) 出て いる *dete iru*, degré moins de 出て います
dete imasu : "sortir", "apparaître".

(10) 来て いる *kite iru*, degré moins de 来て います
kite imasu : "venir".

(11) Le **kabuki** est un des théâtres traditionnels japonais.
C'est un théâtre à grand spectacle, avec trucages,
costumes et beaucoup de couleur.

(12) やって いる *yatte iru*, degré moins de やって
います *yatte imasu* : "faire".

Pour toutes ces formes en て います *te imasu* (degré
moyen), て いる *te iru* (degré moins), cf. leçon 11,
note 2.

(13) 「四谷怪談」 *yotsuya kaidan*, une des plus célèbres
pièces du répertoire de kabuki.

10 あなた は サモロビッチ と
a na ta　　wa　sa mo ro bi t chi　　to
(anata oua samolobit'tchi to

五三郎 と どっち が いい の。(14)
go sabu rô　to　do t chi　ga　　i i　no
gossabouloo to dot'tchi ga ïï no)

11 あ、 ちょっと 待って。火曜日 は
a,　　cho t to　　ma t te.　　ka yô bi　wa
(a, tchot'to mat'té) (kayoobi oua,

サモロビッチ の 演奏 は ない わ。
sa mo ro bi t chi　no　en sô wa　na i　wa.
samolobit'tchi no én'soo oua naill' oua)

歌舞伎 に しましょう。(15)
ka bu ki　ni　shi ma shô
(kabouki ni chimachoo)

12 あたしが 切符 を 買って おくわ。(16)(17)
a ta shi ga　kip pu o　ka t te　o ku wa
(atachi ga kip'pou o kat'té okou oua)

13- じゃ たのむ よ。(18)
ja　ta no mu　yo
(dja tanomou yo)

14- あ、 これ 先週 の ぴあ よ。
a,　ko re　sen shû　no　pi a　yo
(a, kolé sèn'chuu no piya yo)

NOTES (suite)

(14) の no, souvent employé, mais uniquement par les femmes à la place de か ka pour terminer une question.
(15) ない nai, degré moins de ありません arimasen : "ne pas se trouver".
(16) あたし la prononciation atashi pour "moi", est spécifiquement féminine.

10 Qu'est-ce que tu préfères, Samorovitch ou Gosaburô ?

(toi / [annonce] / Samorovitch / et / Gosaburô / et / lequel les deux / [sujet] / être bien / [question])

11 Ah, attends un peu. Mardi il n'y a pas de récital Samorovitch. Ce sera le kabuki.

(ah / un peu / attends) (mardi / [renforcement] / Samorovitch / [relation] / récital / [annonce] / ne pas se trouver / [adoucissement]) (kabuki / [but] / faisons)

12 J'irai chercher les billets.

(moi / [sujet] / billet / [objet] / acheter / faire à l'avance / [adoucissement])

13 — Bon, d'accord.

(bon / demander / [engagement])

14 — Ah, c'est le Pia de la semaine dernière !

(ah / ceci / semaine dernière / [relation] / Pia / [engagement])

NOTES (suite)

(17) おく *oku,* degré moins de おきます *okimasu :* "faire à l'avance".

(18) たのむ *tanomu,* degré moins de たのみます *tanomimasu :* "demander" ; en fait, c'est ce qui correspond, dans une conversation familière, à la formule souvent rencontrée おねがい します *onegai shimasu* (cf. leçon 16, phrase 13 ; leçon 19, phrase 14).

Voilà, c'est fini. C'était un peu dur, mais il fallait y passer. Dans les notes de cette leçon, nous avons signalé fidèlement toutes les formes en degré moins des verbes. Mais, c'est juré, nous ne le ferons plus. Cela deviendrait monotone ! Et puis, pour les verbes, il y a un "truc" facile pour reconnaître les degrés moins : ce sont simplement toutes les formes qui ne se terminent pas par ます *masu,* ません *masen,* ました *mashita,* ません でした *masen deshita,* ましょう *mashô* (cf. leçon 7, par. 1). Vous serez donc tout à fait capable de les repérer désormais tout seul.

練習
れんしゅう

renshû
(lèn'chuu)

1. 一緒 に 買物 に 行かない？
   いっしょ　　かいもの　　　い

   issho ni kaimono ni ikanai ?

2. 火曜日 に テレビ で 見た 映画 は
   かようび　　　　　　　　み　　えいが

   kayôbi ni terebi de mita eiga wa

   中国 の 映画 でした。
   ちゅうごく　　えいが

   chûgoku no eiga deshita

3. また どこか に 忘れました。
   　　　　　　　わす

   mata dokoka ni wasuremashita

4. 今 日本 に 来て いる フランス の
   いま にほん　　き

   ima nihon ni kite iru furansu no

   歌手 が 歌って いる 歌 を
   かしゅ　　うた　　　　　うた

   kashu ga utatte iru uta o

   聞きました か。
   き

   kikimashita ka

5. 音楽会 は 百 七 ページ に 出て
   おんがっかい　ひゃく なな　　　　　で

   ongakkai wa hyaku nana pêji ni dete

   います。

   imasu

6. 先週 から やって いる 「四谷怪談」
   せんしゅう　　　　　　　　　よつやかいだん

   senshû kara yatte iru yotsuya kaidan

   が ぜひ 見たい です。
   　　　　み

   ga zehi mitai desu

…に 言葉 を 入れ なさい。
　　ことば　　い

　ni koto ba o　i re　na sa i

1. *Je pense que c'est mardi.*

. . . .

Exercices

1. Tu ne viendrais pas faire des courses avec moi ?
2. Le film que nous avons vu à la télévision mardi était un film chinois.
3. Je l'ai encore oublié quelque part.
4. Avez-vous entendu les chansons que chante un chanteur français qui est au Japon en ce moment ?
5. Les concerts, c'est à la page 107.
6. Je veux absolument voir "Fantômes à Yotsuya" qui se donne depuis la semaine dernière.

2. *Je veux manger des pommes.*

ringo . . tabe . . . desu

3. *Il est sur la télé.*

. . . .

4. *Qu'est-ce que tu préfères, le théâtre ou le kabuki ?*

shibai . . kabuki . . . . no

5. *Je pense qu'il n'y a pas d'informations à cette heure-ci.*

ima no jikan wa nyûsu wa . . . .

Réponses : 1. kaŷôbi da to omoimasu. **2.** - ga - tai -. **3.** terebi no ue ni arimasu. **4.** - to - to dochi ga ii -. **5.** - nai to omoimasu.

Leçon 29

第三十課　　　　　夏　休み

dai san juk ka　　　　　natsu yasumi
(daill' san.n' djuk' ka)　　(natsou yassoumi)

1 -お 久しぶり です ね。 きれい
   o hisa shi bu ri　de su　ne.　　ki re i
   (o hissachibouli dèss' né) (kileill'

   に 小麦 色 に 焼けました ね。(1)
   ni ko mugi iro　ni ya ke ma shi ta　ne
   ni komougui.ilo ni yakémach'ta né)

2 夏 休み は どこ へ 行った
   natsu yasu mi wa　do ko　e　i t ta
   (natsou yassoumi oua doko e it'ta

   の です か。(2)
   no de su　ka
   no dèss' ka)

3 -大島 へ 行って きました。
   oo shima e　i t te　ki ma shi ta
   (oochima é it'té kimach'ta)

4 瀬戸内海 の 西 に ある 島
   se to nai kai no　nishi ni　a ru　shima
   (sétonaill'kaill' no nichi ni alou chima

   です。そこ の 名物 は みかんです。(3)
   de su. so ko no mei butsu wa　mi ka n de su
   dèss') (soko no meill' boutsou oua mikan.n' dèss')

Les vacances d'été
(été-vacances)

Trentième leçon
(ième / trois-dix / leçon)

1 — Cela fait un moment que je ne vous ai pas vu !
Quel magnifique bronzage, doré comme les blés !
([politesse]-un long moment sans vous voir /
c'est / [accord]) (magnifique / [adverbial] / blé-
couleur / [adverbial] / être bronzé / [accord])

2 Où étiez-vous pour les vacances ?
(été-vacances / [annonce] / où / [destination] /
être allé / c'est que / [question])

3 — Je suis allé à Ôshima.
(Ôshima / [destination] / aller / être venu)

4 C'est une île qui se trouve à l'ouest dans la Mer
Intérieure. On y cultive surtout les mandarines.
(Mer Intérieure / [relation] / ouest / [lieu] / se
trouver / île / c'est) (là / [relation] / spécialité /
[annonce] / mandarine / c'est)

NOTES

(1) Un des emplois de に *ni* est de permettre de fabriquer
des expressions qui fonctionnent comme des adverbes
(cf. leçon 8, note 2, et leçon 14, par. 3). Nous avons
souvent rencontré cet emploi dans 一緒 に *issho ni*
"ensemble". Nous en trouvons ici deux autres exemples.
(2) Nous trouverons très souvent ce の です *no desu*, à
la fin d'une phrase. Il donne une petite nuance d'explication. 行きました *ikimashita* "je suis allé" ; 行った の
です *itta no desu* "c'est que je suis allé". A noter : devant
の です *no desu*, le degré moins est obligatoire.
(3) 瀬戸内海 Setonaikai, la "Mer Intérieure". Cette mer
sépare trois des grandes îles qui constituent le Japon.
Semée d'îles et îlots de toute taille, elle présente les plus
beaux paysages de l'archipel.

Leçon 30

5 そこ は 太陽 の 光 が 強い
so ko wa tai yô no hikari ga tsuyo i
(soko oua taill'yoo no hikali ga tsouyoï

です。
de su
dèss')

6 ですから、 一日中 泳ぐ か
de su ka ra, ichi nichi jû oyo gu ka
(dèss'kala, itchinitchidjuu oyogou ka

昼寝 しか できません。(4)
hiru ne shi ka de ki ma se n
hilouné chika dékimassèn')

7 毎朝 六 時 半 に 起きました。
mai asa, roku ji han ni o ki ma shi ta.
(maï.assa, lokou dji han.n' ni okimach'ta)

そして 海 へ 泳ぎ に 行きました。
so shi te umi e oyo gi ni i ki ma shi ta
(sochité oumi e oyogui ni ikimach'ta)

8 その 時間 は 海岸 に だれも
so no ji kan wa kai gan ni da re mo
(sono djikan.n' oua kaill'gan.n' ni dalémo

いません。
i ma se n
imassèn')

9 朝日 が 水平線 から 出て くる
asa hi ga sui hei sen ka ra de te ku ru
(assahi ga souïheill'sèn' kala dété koulou

眺め は すばらしい です。
naga me wa su ba ra shi i de su
nagamé oua soubalachïi dèss')

5   Là-bas le soleil tape dur.
(là / [annonce] / soleil / [relation] / lumière / [sujet] / être fort / c'est)

6   De ce fait, pendant la journée, on ne peut que se baigner ou faire la sieste.
(de ce fait / toute la journée / nager / ou bien / sieste / seulement / ne pas être possible)

7   Tous les matins je me levais à six heures et demie. Puis j'allais à la mer me baigner.
(chaque matin / six-heure-demi / [temps] / s'être levé)(ensuite / mer / [destination] / nager / [but] / être allé)

8   A cette heure-là il n'y a personne sur la plage.
(cette / heure / [annonce] / rivage / [lieu] / personne / ne pas se trouver)

9   Le spectacle du soleil levant sortant de l'horizon est splendide.
(soleil levant / [sujet] / horizon marin / à partir de / sortir / venir / vue / [annonce] / être splendide / c'est)

きれい に 小麦色 に 焼けました ね。

NOTES (suite)

(4) Une tournure à bien saisir : しか *shika* + un verbe à la forme négative : **ne... que**.

Leçon 30

10 日中 は とても 暑い です。
nit chû wa to te mo atsu i de su.
(nit'tchuu oua totémo atsouï dèss')

村 の 人は 働いて います が
mura no hito wa hatara i te i ma su ga
(moula no hito oua hatalaïté imass' ga,

私 は 昼寝を して いました。(5)
watakushi wa hiru ne o shi te i ma shi ta
ouatakouchi oua hilouné o chité imach'ta)

11 島 で 食べた 魚 や 貝類
shima de ta be ta sakana ya kai rui
(chima dé tabéta sakana ya kaill'louï

は とても おいしかった です。(6)
wa to te mo o i shi ka t ta de su
oua totémo oïchikat'ta dèss')

12 その 日 に 釣れた 魚 です
so no hi ni tsu re ta sakana de su
(sono hi ni tsouléta sakana dèss'

から、 とても 新鮮 です。
ka ra, to te mo shin sen de su
kala, totémo chin'sèn' dèss')

13 また 来年 の 夏 も 行く
ma ta rai nen no natsu mo i ku
(mata laill'nèn' no natsou mo ikou

つもり です。
tsu mo ri de su
tsoumoli dèss')

14 -うらやましい です ね。
u ra ya ma shi i de su ne
(oulayamachïi dèss' né)

10 En milieu de journée il fait très chaud. Les gens du village travaillent, mais moi je faisais la sieste.
(milieu de la journée / [annonce] / très / être chaud / c'est) (village / [relation] / être humain / [annonce] / travailler / mais // moi / [annonce] / sieste / [objet] / avoir fait)

11 Les poissons et les coquillages que j'ai mangés dans cette île étaient délicieux.
(île / [lieu] / avoir mangé / poisson / et / coquillage / [annonce] / très / avoir été bon / c'est)

12 Comme ce sont des poissons pêchés le jour même, ils sont très frais.
(ce / jour / [temps] / avoir été pêché / poisson / c'est / parce que // très / frais / c'est)

13 J'y retournerai l'été prochain.
(encore / année prochaine / [relation] / été / aussi / aller / intention / c'est)

14 — Comme je vous envie !
(être envieux / c'est / [accord])

NOTES (suite)

(5) して いました *shite imashita.* Vous l'avez deviné. C'est tout simplement l'équivalent au passé de して います *shite imasu.*
して います *shite imasu* "je (tu, il...) **suis** en train de faire",
して いました *shite imashita* "je (tu, il...) **étais** en train de faire", "je faisais".
(6) おいしかった です *oishikatta desu.*
おいしかった *oishikatta,* passé de l'adjectif おいしい *oishii* "être bon (au goût)".
おいしい *oishii* tout seul signifie "être bon" (degré moins), おいしかった *oishikatta* tout seul signifie "**était** bon" (degré moins). Le です *desu* qui suit indique simplement que l'adjectif est au degré moyen.

Leçon 30

練習

renshû
(lèn'chuu)

1. 兄 は 起きて いました が、 私 は
ani wa okite imashita ga, watakushi wa

寝て いました。
nete imashita

2. フランス の 西 に ある 村 に
furansu no nishi ni aru mura ni

行った の です。
itta no desu

3. その 島 で 食べた みかん は とても
sono shima de tabeta mikan wa totemo

おいしかった です が、ビール は とても
oishikatta desu ga, bîru wa totemo

高かった です。
takakatta desu

4. すぐ 行きました が、だれも いません
sugu ikimashita ga, daremo imasen

でした。
deshita

5. ここ から は 海 しか 見えません。
koko kara wa umi shika miemasen

****

Exercices

1. Mon frère était levé, mais moi je dormais encore.
2. (C'est que) Je suis allé dans un village de l'ouest de la France.
3. Les mandarines que j'ai mangées dans cette île étaient délicieuses, mais la bière était très chère.
4. J'y suis allé tout de suite, mais il n'y avait personne.
5. D'ici on ne voit que la mer.

…に　言葉　を　入れ　なさい。
　ni　koto ba　o　i re　na sa i

1. *Jusqu'à huit heures du matin il n'y a personne.*

   gozen . . . . made . . . .

2. *Je pense que j'irai à onze heures et demie.*

   . . . . omoimasu

3. *Mon fils ne boit que des jus de fruits.*

   . . . . jûsu . . . . . nomi . . . . .

4. *Il n'y a que des livres de japonais ou de chinois.*

   . . . . no hon

   . . . .

5. *C'est un chemin que je prends souvent à pied.*

   . . . . aruku . . . .

Réponses : 1. - hachi ji - daremo imasen. 2. jû ichi ji han ni iku to -. 3. musuko wa - shika - masen. 4. nihongo ka chûgokugo - shika arimasen. 5. yoku - michi desu.

****

第三十一課　　　バーゲン
だい さんじゅういっ か
dai san jû ik ka　　　　　　　　bâ ge n
(daill' san.n' djuu ik' ka)　　　　(baaguèn')

1 - 旅行 に 出る 前 に、小さい
りょこう　　で　　まえ　　ちい
ryo kô ni de ru mae ni, chii sa i
(Iyokoo ni délou maé ni, tchiïsaill'

　　手提 鞄 と タオル を 三 枚 と
　　てさげ かばん　　　　　　さん まい
te sage kaban to ta o ru o san mai to
tessaguékaban.n' to taolou o san.n' maill' to

　　香水 が 買いたい です。(1)
　　こうすい　か
kô sui ga ka i ta i de su
koossouï ga kaïtaill' dèss')

2 - 今 三越 デパート が バーゲン
いま みつこし
ima mitsu koshi de pâ to ga bâ ge n
(ima mitsoukochi dépaato ga baaguèn'

　　を して います から、そこ で
o shi te i ma su ka ra, so ko de
o chité imass' kala, soko dé

　　買いましょう。(2)
　　か
ka i ma shô
kaïmachoo)

3 　　散歩 がてら 東京 駅 から
　　さんぽ　　　とうきょう えき
san po ga te ra tô kyô eki ka ra
(sam.m'po gatéla tookyoo éki kala

　　歩いて 行きましょう。(3)
　　ある　い
aru i te i ki ma shô
alouïté ikimachoo)

4 - それ は いい 考え です ね。
　　　　　　　　かんが
so re wa i i kanga e de su ne
(solé oua ïi kan.n'gaé dèss' né)

Les soldes　　　　　　**Trente et unième leçon**
(soldes)　　　　　　　　(ième / trois-dix-un / leçon)

1 — Avant de partir en voyage, je veux acheter un petit
sac fourre-tout, trois serviettes de toilette et du
parfum.
(voyage / [but] / partir / avant / [temps] // être
petit / sac fourre-tout / et / serviette de toilette /
[objet] / trois-feuille / et / parfum / [sujet] / être
objet du désir d'acheter / c'est)

2 — En ce moment il y a des soldes chez Mitsukoshi,
allons faire les achats là-bas !
(maintenant / Mitsukoshi-grand magasin / [sujet]
/ soldes / [objet] / faire / parce que // là / [lieu] /
achetons)

3　　Si on y allait à pied, en se promenant à partir de la
Gare de Tôkyô !
(promenade / tout en faisant / Tôkyô-gare / à
partir de / en marchant / allons)

4 — Ça, c'est une bonne idée !
(cela / [annonce] / être bien / idée / c'est /
[accord])

NOTES

(1) 手提鞄 *tesagekaban,* sac de la forme des sacs en
plastique que l'on donne ici dans les magasins. Très
utilisé au Japon pour faire les courses, on en vend
partout, en cuir, en toile, en plastique, en papier fort...
(2) 三越 デパート *Mitsukoshi depâto,* le plus ancien
grand magasin de Tôkyô. Equivalent du Printemps ou des
Galeries Lafayette.
(3) 東京 駅 *Tôkyô eki.* Tôkyô fourmille de gares, car les
transports urbains sont assurés en majorité par des
trains. Mais *Tôkyô-eki* la ''Gare de Tôkyô'', située dans
la partie est de la ville, est le principal point de départ des
trains de grandes lignes.

5 -あ、雨 が 降って きました から、
　　a, ame ga fut te ki ma shi ta ka ra,
　　(a, amé ga fout'té kimach'ta kala,

地下鉄 に 乗りましょう。(4)
chi ka tetsu ni no ri ma shô
tchikatétsou ni nolimachoo)

6 タオル は どんな 色 が いい
　 ta o ru　 wa　 do n na　 iro　 ga　 i i
　 (taolou oua don'na ilo ga ïï

です か。
de su　ka
dèss' ka)

7 -あそこ に かかって いる 赤い
　 a so ko　 ni　 ka ka t te　　 i ru　 aka i
　 (assoko ni kakat'té ilou akaï

タオル と 青い タオル を ペア
ta o ru　 to　 ao i　 ta o ru　 o　 pe a
taoulou to aoï taoulou o péa

で 買いましょう。
de　ka i ma　shô
dé kaïmachoo)

8 -それ と 三 枚 目 に は その
　 so re　 to　 san mai me　 ni　 wa　 so no
　 (solé to san.n' maill' mé ni oua sono

横 にある 白い タオル は いかが。
yoko ni a ru shiro i ta o ru　 wa　 i ka ga
yoko ni alou chiloï taolou oua ikaga)

9 -あ、この 傘 は 安い です ね。
　　a,　 ko no　 kasa　 wa　 yasu i　 de su　 ne
　　(a, kono kassa oua yassouï dèss' né)

5 — Ah ! Il s'est mis à pleuvoir, prenons le métro !
(ah / pluie / [sujet] / tomber / être venu / parce que // métro / [but] / montons)

6 Vous voulez des serviettes de quelle couleur ?
(serviette / [annonce] / de quelle sorte / couleur [sujet] / être bien / c'est / [question])

7 — Si je prenais, assorties, cette serviette rouge et cette serviette bleue qui sont accrochées là-bas !
(là-bas / [lieu] / être accroché / être rouge / serviette / et / être bleu / serviette / [objet] / paire / [moyen] / achetons)

8 — Après, pour la troisième serviette, que pensez-vous de cette serviette blanche qui est juste à côté ?
(cela / [accompagnement] / trois-feuille-ième / [but] / / [renforcement] / de celles-ci / côté / [lieu] / se trouver / être blanc / serviette / [annonce] / comment)

9 — Ah, ce parapluie n'est vraiment pas cher !
(ah / ce / parapluie / [annonce] / être bon marché / c'est / [accord])

タオル は どんな 色 が いい です か。

NOTES (suite)

(4) Dans beaucoup de cas, nous ne traduisons pas から *kara* ''parce que''. On utilise beaucoup plus から *kara* en japonais que nous n'utilisons ''parce que''. Là où les Japonais disent から *kara*, nous nous contentons souvent d'une virgule.

177

10 主人 が この 間 姉 から
shu jin ga ko no aida ane ka ra
(chudjin' ga kono aill'da ané kala

もらった 傘 を 電車 に
mo ra t ta kasa o den sha ni
molat'ta kassa o dèn'cha ni

忘れた の です よ。
wasu re ta no de su yo
wassouléta no dèss' yo)

11 あら、 この 水色 の 縁 が
a ra, ko no mizu iro no fuchi ga
(ala, kono mizou.ilo no foutchi ga

ついた ガウン も 安い です ね。
tsu i ta ga u n mo yasu i de su ne
tsouïta gaoun' mo yassouï dèss' né)

一 時間 後
ichi ji kan go
(itchi djikan.n' go)

12 さあ 帰りましょう。
sâ kae ri ma shô
(saa kaélimachoo)

13 帰り に 銀行 に 寄って も
kae ri ni gin kô ni yo t te mo
(kaéli ni guin'koo ni yot'té mo

いい です か。(5)
i i de su ka
ïi dèss' ka)

10   Il n'y a pas longtemps, mon mari a oublié dans le train le parapluie que sa sœur lui avait donné.
(mon mari / [sujet] / ce / intervalle de temps / sœur aînée / à partir de / avoir reçu / parapluie / [objet] / train / [lieu] / avoir oublié / c'est que / [engagement])

11   Oh, cette robe de chambre avec des liserés bleu pâle n'est pas chère non plus !
(oh / cette / eau-couleur / [relation] / bord / [sujet] / être fixé / robe de chambre / aussi / être bon marché / c'est / [accord])

Une heure plus tard.
(un-heure-après)

12   Bon, rentrons !
(bon / rentrons)

13   En rentrant est-ce que je peux passer à la banque ?
(retour / [temps] / banque / [but] / passer / même / être bien / c'est / [question])

NOTES (suite)

(5) Façon habituelle de demander la permission de faire quelque chose. Littéralement : ''Même si je passe à la banque, est-ce que c'est bien ?''.

*****

14 お 金 を 全部 使って しまいました
   o kane o zen bu tsuka t te shi ma i ma shi ta
   (o kané o zèm'bou tsoukat'té chimaïmach'ta

ので … (6)
no de
nodé)

練習
renshû
(lèn'chuu)

1. 観光 がてら 仕事 を する つもり です。
   kankô gatera shigoto o suru tsumori desu

2. 誕生日 に 兄 から 鞄 を
   tanjôbi ni ani kara kaban o

   もらいました。
   moraimashita

3. 毎朝 雨 が 降ります。
   maiasa ame ga furimasu

4. ジャズ の コンサート が 聞きたい な。
   jazu no konsâto ga kikitai na

5. 夜 寝る 前 に コーヒー は 飲みません。
   yoru neru mae ni kôhî wa nomimasen

… に 言葉 を 入れ なさい。
   ni koto ba o i re na sa i

1. *Cette tasse est bon marché, je l'achète.*

   kono chawan wa . . . . , kaimasu

****

14   J'ai dépensé tout mon argent...
([familiarité]-argent / [objet] / complètement /
employer / avoir fait jusqu'au bout / parce que)

NOTES (suite)

(6) Contrairement à ce qui se passe chez nous, le Japon
ne connaît pratiquement pas le chèque bancaire. Pour les
achats, même importants, on utilise parfois les cartes de
crédit, mais surtout l'argent liquide.

———

Exercices

1. J'ai l'intention de travailler tout en faisant du tourisme.
2. Pour mon anniversaire mon frère m'a offert un sac.
3. Il pleut tous les matins.
4. Je voudrais écouter un concert de jazz.
5. Le soir avant de dormir je ne bois pas de café.

———

2. *Est-ce que je peux regarder la télévision ?*

   terebi o mite . . . .

3. *Avant de prendre le bus, passons à la poste.*

   . . . . . . noru . . . . . yûbinkyoku . . yorimashô

4. *De quelle couleur est la voiture que notre voisin a achetée ?*

   tonari no hito ga katta jidôsha wa . . . .

5. *Est-elle rouge, bleue ou blanche ?*

   akai desu ka . . . .

Réponses : **1.** - yasui desu kara -. **2.** - mo ii desu ka. **3.** basu ni
- mae ni - ni -. **4.** - donna iro desu ka. **5.** - aoi desu ka shiroi
desu ka.

****

第三十二課　　　　　　高速道路
だい さんじゅう に か　　　　　　こうそく どう ろ

dai san jû ni ka　　　　　　kô soku dô ro
(daill' san.n' djuu ni ka)　　(koossokoudoolo)

1 - 伯父 が 自動車 を 貸して
　　おじ　　じどうしゃ　　　か

　o ji　ga　ji dô sha　o　ka shi te
(odji ga djidoocha o kachité)

くれた ので、先週 の 週末、
　　　　　　　せんしゅう　　しゅうまつ

ku re ta　no de,　sen shû　no　shû matsu,
kouléta nodé, sèn'chuu no chuumatsou,

会社 の 同僚 と 関西 旅行
かいしゃ　　どうりょう　　かんさい　りょこう

kai sha　no　dô ryô　to　kan sai　ryo kô
kaill'cha no doolyoo to kan.n'saill' lyokoo

を する つもり で 出発 しました。(1)
　　　　　　　　　　　しゅっぱつ

o　su ru tsu mo ri de shup patsu shi ma shi ta
o soulou tsoumoli dé chup'patsou chimach'ta)

2 - いかが でした か。

　i ka ga　de shi ta　ka
(ikaga dèch'ta ka)

3 - 最初 は 国道 を 走りました
　　さいしょ　　こくどう　　はし

sai sho　wa　koku dô　o　hashi ri ma shi ta
(saill'cho oua kokudoo o hachilimach'ta

が、混んで いました ので、高速道路
　　　こ　　　　　　　　　　　　こうそくどうろ

ga,　ko n de　i ma shi ta　no de,　kô soku dô ro
ga, kon.n'dé imach'ta nodé, koossokoudoolo

で 行く こと に しました。
　　い

de　i ku　ko to　ni　shi ma shi ta
dé ikou koto ni chimach'ta)

L'autoroute
(autoroute)

Trente-deuxième leçon
(ième / trois-dix-deux / leçon)

1 — Comme mon oncle m'avait prêté sa voiture, je
suis parti le week-end dernier avec l'intention de
faire un tour dans le Kansai avec un collègue du
bureau.
(mon oncle / [sujet] / voiture / [objet] / prêter /
avoir fait pour moi / parce que // semaine
dernière / [relation] / week-end / société /
[relation] / collègue / [accompagnement] / Kan-
sai-voyage / [objet] / faire / intention / [moyen] /
départ-avoir fait)

2 — Ça s'est bien passé ?
(comment / c'était / [question])

3 — D'abord j'ai pris la nationale, mais comme c'était
bouché, j'ai décidé d'aller par l'autoroute.
(au début / [renforcement] / route nationale /
[objet] / avoir roulé / mais // avoir été encombré
/ parce que // autoroute / [moyen] / aller / le fait
de / [but] / avoir fait)

NOTES
(1) 関西 Kansai. Ce terme désigne une région de la partie
ouest de l'île principale de l'archipel japonais. C'est la
région où se trouve l'ancienne capitale Kyôto et
l'importante ville commerciale d'Ôsaka.

* * * * *

4 高速道路 で は スピード 制限
kô soku dô ro de wa su pî do sei gen
(koossokoudoolo dé oua s'piido seill'guèn'

が 八 十 キロ な ので、 早く
ga hachi juk ki ro na no de, haya ku
ga hachi djuk kilo na nodé, hayakou

進みません でした。
susu mi ma se n de shi ta
soussoumimassèn' dèch'ta)

5 それに トラック が たくさん
so re ni to ra k ku ga ta ku sa n
(soléni tolak'kou ga takoussan.n'

走って いました。(2)
hashi t te i ma shi ta
hachit'té imach'ta)

6 トラック を 追い越す こと は
to ra k ku o o i ko su ko to wa
(tolak'kou o oïkossou koto oua

むずかしい です。
mu zu ka shi i de su
mouzoukachïï dèss')

7 すぐ スピード 違反 に なります。
su gu su pî do i han ni na ri ma su
(sougou s'piido ihan.n' ni nalimass')

8 ですから 日本 で の 自動車
de su ka ra ni hon de no ji dô sha
(dèss'kala nihon.n' dé no djidoocha

旅行 は 時間 が かかります。
ryo kô wa ji kan ga ka ka ri ma su
lyokoo oua djikan.n' ga kakalimass')

4 Sur les autoroutes, la vitesse est limitée à 80 km/h, alors je n'avançais pas vite.
(autoroute / [lieu] / [renforcement] / vitesse-limitation / [sujet] / huit-dix-kilomètre / c'est / parce que // vite / ne pas avoir avancé)

5 En plus, il y avait beaucoup de camions.
(de plus / camion / [sujet] / beaucoup / avoir roulé)

すごい 罰金 を 払う こと に なりました。

6 C'est difficile de doubler les camions.
(camion / [objet] / dépasser / le fait de / [annonce] / être difficile / c'est)

7 On est tout de suite en excès de vitesse.
(tout de suite / vitesse-infraction / [but] / devenir)

8 Aussi les déplacements en voiture au Japon prennent beaucoup de temps.
(pour cette raison / Japon / [lieu] / [relation] / voiture-voyage / [annonce] / temps / [sujet] / prendre)

NOTES (suite)

(2) Cf. leçon 30, note 5.

*****

9　急いで いる 時 は 汽車 か
iso i de　i ru　toki wa　ki sha ka
(issoïdé ilou toki oua kicha ka

　飛行機 で 旅行した 方 が
hi kô ki　de　ryo kô shi ta　hô　ga
hikooki dé lyokoo chita hoo ga

　早い です。(3)
haya i　de su
hayaill' dèss')

10　それに 高速道路 は いつも
so re ni　kô soku dô ro　wa　i tsu mo
(soléni koossokoudoolo oua itsoumo

　有料 です から 高く つきます。
yû ryô　de su　ka ra　taka ku　tsu ki ma su
yuuryoo dèss' kala takakou tsoukimass')

11　-関西 は いかが でした か。
kan sai wa　i ka ga　de shi ta　ka
(kan.n'saill' oua ikaga dèch'ta ka)

12　-それ が… 静岡 辺り で スピード
so re ga...　shizu oka ata ri　de su pî　do
(solé ga) (chizouöka atali dé s'piido

　違反 で パトカー に 捉まって
i han　de　pa to kâ　ni　tsuka ma t te
ihan.n' dé pato-kaa ni tsoukamat'té

　しまいました。 すごい 罰金 を
shi ma i ma shi ta.　su go i　bak kin　o
chimaïmach'ta) (sougoï bak'kin' o

　払う こと に なりました。(4) (5)
hara u ko to　ni　na ri ma shi ta
halaou koto ni nalimach'ta)

9 Quand on est pressé, c'est plus rapide de voyager par le train ou en avion.
(être pressé / moment / [renforcement] // train / ou bien / avion / [moyen] / voyage-avoir fait / côté / [sujet] / être rapide / c'est)

10 En plus, comme les autoroutes sont toujours payantes, cela revient cher.
(de plus / autoroute / [annonce] / toujours / payant / c'est / parce que // cher / atteindre) atteindre)

11 — Et c'était bien le Kansai ?
(Kansai / [annonce] / comment / c'était / [question])

12 — Eh bien... Aux environs de Shizuoka, j'ai été arrêté par une voiture de police pour excès de vitesse. J'ai été condamné à payer une amende formidable !
(cela / [sujet]) (Shizuoka-environs / [lieu] / vitesse-infraction / [moyen] / voiture de police / [agent] / être attrapé / finir par faire) (être formidable / amende / [objet] / payer / le fait de / [but] / être devenu)

NOTES (suite)

(3) Il y a deux mots qui veulent dire "train". Mais 電車(でんしゃ) *densha* désigne les trains servant aux transports urbains (type trains de banlieue) et 汽車(きしゃ) *kisha*, les trains de grandes lignes.

(4) 静岡(しずおか) Shizuoka, ville importante située sur la côte à 150 kilomètres environ au sud-ouest de Tôkyô.

(5) Les mots que nous rencontrons écrits en katakana (cf. Introduction, p. XIII) sont jusqu'à maintenant tous empruntés à l'américain et transcrits dans leur entier. Mais très souvent les Japonais empruntent les mots en les abrégeant. Nous avons vu un seul exemple : ビル *biru* (leçon 24, phrase 10), abréviation de ビルディング *birudingu* ("building"). En voici un autre : パト・カー *pato.kâ*, est une abréviation de パトロル・カー *pato-roru.kâ* ("patrol-car"). Comme vous le voyez, le résultat de ces abréviations est parfois fort mystérieux... ou ambigu. キロ *kilo* sera l'abréviation de kilo(meter) mais aussi de kilo(gramm) !...

13 それで 予算 が 足りなく なった
so re de yo san ga   ta ri na ku na t ta
(solédé yossan.n' ga talinakou nat'ta

ので、そのまま 東京 に 戻りました。
no de, so no ma ma tô kyô ni modo ri ma shi ta
nodé, sonomama tookyoo ni modolimach'ta)

練習
renshû
(lèn'chuu)

1. 姉 は いい 店 を 教えて くれました。
ane wa ii mise o oshiete kuremashita

2. 汽車 で 行った 方 が 便利 です。
kisha de itta hô ga benri desu

3. 雨 が 降って いました から、地下鉄
ame ga futte imashita kara, chikatetsu

で 行く こと に しました。
de iku koto ni shimashita

4. 今日 は 日曜日 な ので、銀行 は
kyô wa nichiyôbi na node, ginkô wa

お 休み です。
o yasumi desu

5. 家賃 が 高く なった の です。
yachin ga takaku natta no desu

---

13   Alors comme mon budget n'était plus suffisant, nous sommes revenus directement à Tôkyô.
(alors / budget / [sujet] / ne pas être suffisant / être devenu / parce que // tel quel / Tôkyô / [but] / être revenu)

Exercices

1. Ma sœur m'a indiqué un excellent restaurant.
2. C'est plus pratique d'y aller en train.
3. Comme il pleuvait, j'ai décidé d'y aller en métro.
4. Comme c'est dimanche, les banques sont fermées.
5. C'est que les loyers sont devenus chers.

···に 言葉 を 入れ なさい。
ni koto ba o i re na sa i

1. *Elle est devenue jolie.*

   utsukushi . . . . mashita

2. *Comme il fait beau, j'attendrai devant la banque.*

   ii tenki . . node, ... matte imasu

3. *Par la nationale, cela prend du temps !*

   kokudô wa . . . .

4. *J'étais en train d'écrire une carte postale.*

   hagaki o kai . . . .

5. *J'ai décidé de me lever tôt.*

   hayaku okiru . . . .

6. *Il est difficile de s'arrêter de fumer.*

   kin.en suru . . . . desu

Réponses : 1. - ku nari -. **2.** - na - ginkô no mae de -. **3.** - jikan ga kakarimasu. **4.** - te imashita. **5.** - koto ni shimashita. **6.** - koto wa muzukashii -.

第三十三課 ハチ公
<ruby>第三十三課<rt>だい さんじゅう さん か</rt></ruby> <ruby>ハチ公<rt>こう</rt></ruby>

dai san jû san ka　　　　　　ha chi kô
(daill' san.n' djuu san.n' ka)　　(hatchikoo)

1 ‐渋谷 駅 の 前 に ある 犬
shibu ya eki no mae ni a ru inu
(chibouya éki no maé ni alou inou

の 銅像 は 何 です か。
no dô zô wa nan de su ka
no doozoo oua nan.n' dèss' ka)

2 ‐これ は ハチ公 と いう 犬
ko re wa ha chi kô to i u inu
(kolé oua hatchikoo to iu inou

の 銅像 です。
no dô zô de su
no doozoo dèss')

3 ‐なぜ 犬 の 銅像 など を
na ze inu no dô zô na do o
(nazé inou no doozoo nado o

作った の です か。
tsuku t ta no de su ka
tsoukout'ta no dèss' ka)

4 ‐これ は 話す と 長く
ko re wa hana su to naga ku
(kolé oua hanassou to nagakou

なります が…
na ri ma su ga
nalimass' ga)

*****

Hachikô   **Trente-troisième leçon**
                       (ième / trois-dix-trois / leçon)

1 — Qu'est-ce que c'est, cette statue de chien qui est
    devant la gare de Shibuya ?
    (Shibuya-gare / [relation] / devant / [lieu] / se
    trouver / chien / [relation] / statue de bronze /
    [annonce] / quoi / c'est / [question])

2 — C'est la statue d'un chien qui s'appelait Hachikô.
    (ceci / [annonce] / Hachikô / [citation] / dire /
    chien / [relation] / statue de bronze / c'est)

六十年前 の こと です。

3 — Et pourquoi a-t-on mis, comme ça, une statue de
    chien ?
    (pourquoi / chien / [relation] / statue de
    bronze-ce genre d'objet / [objet] / avoir fabriqué
    / c'est que / [question])

4 — C'est une longue histoire...
    (ceci / [annonce] / parler / lorsque // être long /
    devenir / mais)

*****

Leçon 33

5　ハチ公　と　いう　犬　は　とても
ha chi kô　to　i u　inu　wa　to te mo
(hatchikoo to iu inou oua totémo

感心　な　犬　でした。(1)
kan shin　na　inu　de shi ta
kan.n'chin' na inou dèch'ta)

6　六　十　年　前　の　こと　です。
roku　jû　nen mae　no　ko to　de su
(lokou djuu nèn' maé no koto dèss')

7　上野　英三郎　さん　と　いう　大学
ue no　ei sabu rô　sa n　to　i u　dai gaku
(ouéno eill'sabouloo san.n' to iu daill'gakou

の　先生　が　いました。
no　sen sei　ga　i ma shi ta
no sèn'seill' ga imach'ta)

8　ハチ公　と　いう　犬　を　飼って
ha chi kô　to　i u　inu　o　ka t te
(hatchikoo to iu inou o kat'té

いました。
i ma shi ta
imach'ta)

9　毎朝　上野　さん　が　大学　へ
mai asa　ue no　sa n　ga　dai gaku　e
(maïassa ouéno san.n' ga daill'gakou é

行く　時、　ハチ公　は　いつも
i ku　toki,　ha chi kô　wa　i tsu mo
ikou toki, hatchikoo oua itsoumo

駅　まで　おくって　いきました。
eki　ma de　o ku t te　i ki ma shi ta
éki madé okout'té ikimach'ta)

5   Ce chien nommé Hachikô fut un chien admirable.
    (Hachikô / [citation] / dire / chien / [annonce] /
    très / admirable / c'est / chien / c'était)

6   Cela se passait il y a 60 ans.
    (six-dix-an-avant / [relation] / événement / c'est)

7   Il y avait un professeur d'université du nom
    d'UENO Eisaburô.
    (Ueno Eisaburô-M. / [citation] / dire / université /
    [relation] / professeur / [sujet] / s'être trouvé)

8   Il avait un chien nommé Hachikô.
    (Hachikô / [citation] / dire / chien / [objet] / avoir
    élevé)

9   Tous les matins quand M. Ueno partait à
    l'université, Hachikô le conduisait toujours
    jusqu'à la gare.
    (chaque matin / Ueno-M. / [sujet] / université /
    [destination] / aller / moment // Hachikô /
    [annonce] / toujours / gare / jusqu'à / accompa-
    gner / être allé)

NOTES
(1) 感心 な 犬 kanshin **na** inu. Cf. aussi leçon 32,
phrase 4. Ce な na est la forme que prend です desu
''c'est'', dans la position que nous avons appelée ''à
l'intérieur d'une phrase ou d'une proposition''. C'est
toujours ce な na que nous trouverons lorsqu'il faut dire
''c'est'' devant ので node ''parce que''.

*****

10 夕方　上野　さん　が　大学
yû gata　ue no　sa n　ga　dai gaku
(yuugata ouéno san.n' ga daill'gakou

から　帰って　くる　時、ハチ公　は
ka ra　kae t te　ku ru　toki, ha chi kô　wa
kala kaét'té koulou toki, hatchikoo oua

かならず　迎え　に　行きました。
ka na ra zu　muka e　ni　i ki ma shi ta
kanalazou moukáé ni ikimach'ta)

11 ‑かわいい　犬　です　ね。
ka wa i i　inu　de su　ne
(kaouaïi inou dèss' né)

（続く）
tsuzu ku
(tsouzoukou)

練習
renshû
(lèn'chuu)

1. 遅く　なりました　から、帰りましょう。
osoku narimashita kara, kaerimashô

2. 小林　正子　という　人　を　知って　いますか。
kobayashi masako to iu hito o shitte imasu ka

3. 毎朝　子供　を　幼稚園　に　おくって　いきます。
maiasa kodomo o yôchien ni okutte ikimasu

4. タオル　は　一枚　しか　買いません　でした。
taoru wa ichi mai shika kaimasen deshita

5. 夕方　会社　から　帰る　時、いつも　隣　の
yûgata kaisha kara kaeru toki, itsumo tonari no
本屋　さん　の　犬　に　会います。
honya san no inu ni aimasu.

10 Et le soir quand M. Ueno rentrait de l'université,
Hachikô allait sans faute à sa rencontre.
(soir / Ueno-M. / [sujet] / université / à partir de /
rentrer chez soi / venir / moment // Hachikô /
[annonce] / sans faute / rencontrer / [but] / être
allé)

11 — Quel gentil chien !
(être mignon / chien / c'est / [accord])

à suivre
(suivre)

───────────

Exercices

1. Comme il se fait tard, nous allons rentrer.
2. Connaissez-vous quelqu'un du nom de KOBAYASHI Masako ?
3. Tous les matins j'accompagne les enfants à la maternelle.
4. Je n'ai acheté qu'une seule serviette.
5. Le soir quand je rentre du bureau, je rencontre toujours le
chien du libraire d'à côté.

───────────

…に 言葉 を 入れ なさい。
　　ni koto ba o　i re　na sa i

1. *Cela se passait il y a deux cents ans.*

. . . .

2. *C'est une personne admirable.*

. . . .

3. *Pourquoi n'y allez-vous pas par l'autoroute ?*

. . . . kôsokudôro de . . . .

4. *C'est une personne du nom de UEHARA Michiko.*

uehara michiko . . . .

Leçon 33

5. *Quand je vais en voyage, j'emporte toujours un parapluie.*

. . . . , ...

motte ikimasu

****

第三十四課　　不動産屋 さん
dai san jû yon ka　　　fu dô san ya　　san
(daill' san.n' djuu yon.n' ka) (foudoosan.n'ya san.n')

1 －青山　辺り　に　家　を　捜して
　ao yama ata ri　ni　ie　o　saga shi te
　(aoyama atali ni iyé o sagachité

　いる　の　です　が、　何か
　i ru　no　de su　ga,　nani ka
　ilou no desu ga, nanika

　ありません　か。(1) (2)
　a ri ma se n　ka
　alimassèn' ka)

2 －アパート　です　か、一軒家 です か。
　a pâ to　de su　ka,　ik ken ya de su ka
　(apaato dèss' ka, ik'kèn'ya dèss' ka)

3 －庭　つき　の　一軒家　に
　niwa tsu ki　no　ik ken ya　ni
　(nioua tsouki no ik'kèn'ya ni

　住みたい　です。
　su mi ta i　de su
　soumitaill' dèss')

*****

Réponses : **1.** ni hyaku nen mae no koto desu. **2.** kanshin na hito desu. **3.** naze - ikanai no desu ka. **4.** - to iu hito desu. **5.** ryokô ni deru toki, itsumo kasa o -.

****

Trente-quatrième leçon
(ième / trois-dix-quatre / leçon)

Chez l'agent immobilier
(agence immobilière-magasin-M.)

1 — Je cherche une maison du côté d'Aoyama, vous n'auriez pas quelque chose ?
(Aoyama-environ / [lieu] / maison / [objet] / chercher / c'est que / mais // quelque chose / ne pas se trouver / [question])

2 — Vous cherchez un appartement ou une maison individuelle ?
(appartement / c'est / [question] / maison individuelle / c'est / [question])

3 — Je veux habiter dans une maison individuelle avec un jardin.
(jardin-adjoint / [relation] / maison individuelle / [lieu] / vouloir habiter / c'est)

NOTES
(1) 青山 Aoyama, une partie d'un des arrondissements de Tôkyô. Un des quartiers où les logements sont les plus chers. Et à Tôkyô l'immobilier est incroyablement élevé.
(2) 何 *nan* "quoi", interrogatif. 何か *nanika:* "quelque chose", indéfini.

*****

197

4 庭 は 大きい 方 が いい です。(3)
niwa wa oo ki i hô ga i i de su
(nioua oua ookïï hoo ga ïï dèss')

5 ダイニング と リビング は
da i ni n gu to ri bi n gu wa
(daill'nin'gou to libin'gou oua

別れて いる 方 が いい です。
waka re te i ru hô ga i i de su
ouakalété ilou hoo ga ïï dèss')

6 妻 が お 茶 と 生け花 を
tsuma ga o cha to i ke bana o
(tsouma ga o tcha to ikébana o

します から、 八 畳 ぐらい の
shi ma su ka ra, hachi jô gu ra i no
chimass' kala, hatchi jô goulaill' no

和室 も ほしい です。(4)
wa shitsu mo ho shi i de su
ouachitsou mo hochïï dèss')

7 車 が 二 台 入る ガレージ
kuruma ga ni dai hai ru ga rê ji
(koulouma ga nidaill' haïlou galéédji

も 必要 です。(5)
mo hitsu yô de su
mo hitsouyoo dèss')

8 -台所 は どう します か。
dai dokoro wa dô shi ma su ka
(daill'dokolo oua doo chimass' ka)

4 Je préfère que le jardin soit grand.
(jardin / [annonce] / être grand / côté / [sujet] /
être bien / c'est)

5 Je préfère que la salle à manger et le salon soient
séparés.
(salle à manger / et / salon / [annonce] / être
séparé / [sujet] / être bien / c'est)

6 Comme ma femme pratique la cérémonie du thé
et l'arrangement de fleurs, je veux aussi une pièce
à la manière traditionnelle, d'environ huit tatami.
(mon épouse / [sujet] / [familiarité]-thé / et /
arrangement de fleurs / [objet] / faire / parce que
// huit-tatami / à peu près / [relation] / pièce
traditionnelle / aussi / être l'objet du désir / c'est)

7 Il me faut aussi un garage pour deux voitures.
(voiture / [sujet] / deux-véhicule / entrer / garage
/ aussi / indispensable / c'est)

8 — Et pour la cuisine, qu'est-ce que vous souhaitez ?
(cuisine / [annonce] / comment / faire /
[question])

NOTES (suite)

(3) 方 が…です *... hô ga ... desu.* Manière habituelle de
marquer sa préférence ou de comparer. Littéralement :
''du côté de... c'est...''.

庭 は 大きい 方 が いい です

niwa wa ookii hô ga ii desu,

littéralement : ''pour le jardin, du côté de être grand c'est
bien''.

(4) La taille d'une pièce dans une maison japonaise
traditionnelle se mesure au nombre de tatami qui
composent son sol. Un tatami est une natte très épaisse
(entre 10 et 15 cm) dont les mesures sont calculées pour
qu'un homme couché puisse y tenir : 1,80 m × 0,90 m.
On parle donc d'une pièce de 5 tatami, de 6 tatami, de 16
tatami...

(5) 二 台 *ni dai.* 台 *dai* s'ajoute au chiffre lorsque l'on
dénombre des véhicules (cf. leçon 22, note 3).

9 - お客 が 多い ので 便利 に
o kyaku ga ooi no de, ben ri ni
(o kyakou ga ooï nodé, bèn'li ni

使える 台所 が いい です。(6)
tsuka e ru dai dokoro ga ii de su
tsoukaélou daill'dokolo ga ïï dèss')

10 家賃 は どのぐらい に
ya chin wa do no gu ra i ni
(yatchin' oua donogoulaill' ni

なります か。
na ri ma su ka
nalimass' ka)

11 - 一ヶ月 百 万 円 です。(7)
ik ka getsu hyaku man en de su
(ik'kagètsou hyakou man.n' èn' dèss')

12 それに 敷金 と 礼金 は
so re ni shiki kin to rei kin wa
(soléni chikikin' to leill'kin' oua

二ヶ月 分 です。
ni ka getsu bun de su
nikagètsou boun' dèss')

13 だから 入居 する 時 全部
da ka ra nyû kyo su ru toki zen bu
(dakala nyuukyo soulou toki zem'bou

で 五 百 万 円 に なります。
de go hyaku man en ni na ri ma su
dé go hyakou man.n' èn' ni nalimass')

9 — Comme nous avons beaucoup d'invités, cela doit
être une cuisine facile à utiliser.
([politesse]-invité / [sujet] / être nombreux / parce
que // pratique / [adverbial] / pouvoir utiliser /
cuisine / [sujet] / être bien / c'est)

10 Le loyer serait d'à peu près combien ?
(loyer / [annonce] / combien à peu près / [but] /
devenir / [question])

11 — Pour un mois c'est un million de yen.
(un mois / cent-10.000-yen / c'est)

12 En plus, la caution et les honoraires font deux
mois de loyer.
(de plus / caution / et / honoraires / [annonce] /
deux mois-part / c'est)

13 Donc au moment où vous prenez possession des
lieux, cela vous fait au total cinq millions de yen.
(de ce fait / entrée dans la maison-faire /
moment // total / [moyen] / cinq-cent-10.000-
yen / [but] / devenir)

庭 は 大きい 方 が いい です。

34

NOTES (suite)

(6) 便利 *benri ni,* cf. leçon 30, note 1.

(7) 一ヶ月 *ikkagetsu:* "une durée d'un mois". La
graphie ici est un peu spéciale. Entre les deux kanji est
inséré un petit ヶ (**ké** en katakana), qui se prononce *ka.*
二ヶ月 *nikagetsu* "une durée de deux mois", 三ヶ月
sankagetsu "une durée de trois mois", etc. (souvent
maintenant on écrit simplement 一か月).

14 -そんな に 高い の です か。
son na ni taka i no de su ka.
(son'na ni takaill' no dèss' ka)

私 に は 払う こと
watakushi ni wa hara u koto
(ouatakouchi ni oua halaou koto

が できません。 あきらめます。
ga de ki ma se n. a ki ra me ma su
ga dékimassèn') (akilamémass')

練習
renshû
(lèn'chuu)

1. 何か 見えました か。
nanika miemashita ka

2. 早く 出発 した 方 が いい です。
hayaku shuppatsu shita hô ga ii desu

3. 子供 が 多い ので 大きい 車 が
kodomo ga ooi node, ookii kuruma ga

必要 です。
hitsuyô desu

4. 今朝 家 を 出た 時、伯父 に
kesa ie o deta toki, oji ni

会いました。
aimashita

5. そんな に 遠い の です か。
sonna ni tooi no desu ka

14 — C'est si cher que ça ? Je ne peux pas payer. Tant
pis !
(de cette façon / [adverbial] / être cher / c'est que
/ [question]) (moi / [attribution] / [renforcement] /
payer / le fait de / [sujet] / ne pas être possible)
(être découragé)

Exercices

1. Avez-vous vu quelque chose ?
2. Il vaut mieux partir de bonne heure.
3. Comme j'ai beaucoup d'enfants, il me faut une grande voiture.
4. Au moment où je sortais de la maison ce matin, j'ai rencontré mon oncle.
5. C'est si loin ?

…に 言葉 を 入れ なさい。
ni koto ba o   i re   na sa i

1. *Au total, il y a dix voitures.*

   . . . . . . wa . . . . ni narimasu

2. *Cela fait sept millions de yen.*

   . . . . desu

3. *C'est plus simple d'y aller en métro.*

   . . . . kantan desu

4. *Je veux aussi des parfums français.*

   . . . . mo . . . .

5. *J'ai cherché mais je n'ai rien trouvé.*

   . . . .

   . . . .

Réponses : 1. kuruma - zembu de jû dai -. **2.** nana hyaku man
en -. **3.** chikatetsu de itta hô ga -. **4.** furansu no kôsui - hoshii
desu. **5.** sagashimashita ga nanimo mitsukarimasen deshita.

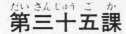

第三十五課

だい さん じゅう ご か
dai san jû go ka
(daill' san.n' djuu go ka)

まとめ

ma to me
(matomé)

Vous avez pris le rythme maintenant, et vous les attendez presque, nos petites haltes de la septième leçon ! C'est vrai qu'elles nous sont bien nécessaires pour fixer nos idées et parfois éclairer nos lanternes ! Aujourd'hui nous allons faire une visite panoramique !...

1. A tout seigneur tout honneur ! Commençons par les **particules enclitiques,** l'ossature de la phrase. Vous étiez prévenus (cf. leçon 14, par. 3) : に *ni,* a tout du caméléon et ne cesse de trouver de nouveaux emplois. Le premier de ces nouveaux emplois, nous l'avons déjà un peu expérimenté : permettre de constituer une expression adverbiale (cf. leçon 30, note 1). Le second, tout à fait nouveau (leçon 32, phrase 12) : に *ni,* sert à indiquer l'agent d'une action, ce qui correspond à notre "par".
Un petit retour aussi sur は *wa* (cf. leçon 15, note 2). Nous parlions d'un emploi dit "renforcement", après un adverbe (de temps surtout). Nous trouvons aussi cet emploi "renforcement" lorsque は *wa* suit une autre particule enclitique (cf. leçon 32, phrase 4 :
こうそくどうろ
高速道路　で　は *kôsokudôro* **de wa**).

2. A notre panoplie de mots servant à interroger (cf. leçon 28, par. 2), nous avons ajouté なぜ *naze* "pourquoi ?" (leçon 33, phrase 3).

3. Un petit tour maintenant du côté des **adjectifs** (cf. leçon 21, par. 2). Ils ont cette bizarrerie de changer de forme comme les verbes, mais, après tout, ils n'ont que peu de formes et nous les avons presque toutes vues. Donc c'est le moment de récapituler.

Révision et notes　　　　**Trente-cinquième leçon**
　　　　　　　　　　　(ième / trois-dix-cinq / leçon)

おいしい *oishii* "c'est bon" (degré moins),
おいしい　です *oishii desu* "c'est bon" (degré moyen).
おいしかった *oishikatta* "c'était bon" (degré moins),
おいしかった　です *oishikatta desu* "c'était bon" (degré moyen).
おいしくない *oishikunai* ou おいしく　は　ない *oishiku wa nai* "ce n'est pas bon" (degré moins),
　　おいしく　ありません　　　*oishiku arimasen*　ou
おいしく　は　ありません・*oishiku wa arimasen* "ce n'est pas bon" (degré moyen).

Il existe aussi une forme où い *i* est remplacé par く *ku* et c'est tout. Elle s'emploie avec certains verbes, surtout avec なる *naru* "devenir" ;
cf. leçon 26, phrase 5 : 悪く　なりました *waruku narimashita* "être devenu mauvais", (悪い *warui* "être mauvais") ;
cf. aussi leçon 33, phrase 4 : 長く　なります *nagaku narimasu* "devenir long" (長い *nagai* "être long").

On trouve cette forme aussi avec つく *tsuku* "atteindre" ;
cf. leçon 32, phrase 10 : 高く　つきます *takaku tsukimasu* "cela revient cher" (高い *takai* "être cher").

Cette forme sert aussi à transformer un adjectif en adverbe : 早い *hayai* "être tôt" ou "être rapide", 早く *hayaku* "tôt" ou "vite" (leçon 32, phrase 4).

Attention, un seul adjectif est un peu difficile et c'est évidemment le plus employé ! C'est l'adjectif いい *ii* "être bien", qui a un doublet よい *yoi,* avec exactement le même sens, et c'est ce doublet qui sert à construire les autres formes :

いい *ii* "c'est bien" (degré moins),
いい　です *ii desu* "c'est bien" (degré moyen).

Mais : よかった *yokatta* "c'était bien" (degré moins),
よかった です *yokatta desu* "c'était bien" (degré moyen)

Mais : よくない *yokunai* "ce n'est pas bien" (degré moins), よく ありません *yoku arimasen* "ce n'est pas bien" (degré moyen).

Et pour finir : よく なりました *yoku narimashita* "être devenu bien".

4. Bien sûr notre promenade se terminera par les **verbes**. Nous leur ferons encore de fréquentes visites, c'est que là il y a beaucoup à voir ! Mais regardez déjà le chemin parcouru depuis la leçon 7, note 1, où nous récapitulions déjà la plupart des formes d'un verbe au degré moyen. Maintenant nous pouvons mettre en face les formes équivalentes au **degré moins** :

"je, tu, il... mange" :
degré moyen : 食べます *tabemasu*,
degré moins : 食べる *taberu*.

"je, tu, il... ne mange pas" :
degré moyen : 食べません *tabemasen*,
degré moins : 食べない *tabenai*.

"j'ai, tu as, il a... mangé" :
degré moyen : 食べました *tabemashita*,
degré moins : 食べた *tabeta*.

"mangeons" :
degré moyen : 食べましょう *tabemashô*,
degré moins : 食べよう *tabeyô*.

Et puis nous connaissons l'autre série de formes, celles qui servent à indiquer que l'on est en train de faire l'action :

"je (tu, il...) suis en train de manger" :
degré moyen : 食べて います *tabete imasu*,
degré moins : 食べて いる *tabete iru*.

"je ne suis pas en train de manger" :
degré moyen : 食べて いません *tabete imasen*,

degré moins : 食べて　いない *tabete inai.*

"j'étais (tu, il...) en train de manger" :

degré moyen : 食べて　いました *tabete imashita,*

degré moins : 食べて　いた *tabete ita.*

Cela nous fait déjà un bon petit tableau !

A ne pas oublier (cf. leçon 29, note 15), la forme degré moins qui correspond à ありません *arimasen* "ne pas se trouver", "il n'y a pas", est <u>ない</u> **nai.**

5. Quelques remarques sur certains verbes :

— ne pas confondre ある, あります *aru/arimasu* et いる, います *iru/imasu.* Les deux veulent dire "se trouver" et on les traduit souvent par "il y a". Mais ある *aru* s'emploie quand on parle d'objets inanimés et いる *iru* quand on parle d'êtres animés (humains, animaux). Pour ある *aru,* nous le rencontrons sans cesse. Pour いる *iru,* cf. leçon 15, phrase 4, et leçon 30, phrase 8.

— 帰る *kaeru* et 戻る *modoru,* les deux se traduisent par "revenir", mais 帰る *kaeru* c'est obligatoirement rentrer chez soi, dans sa maison, dans son pays, alors que 戻る *modoru* c'est simplement revenir sur ses pas (cf. leçon 31, phrases 12 et 13 ; leçon 33, phrase 10 ; leçon 32, phrase 13).

6. Pour terminer, rappelons ce que nous annoncions dans la précédente leçon de révision : désormais nous ne garderons plus que la transcription "officielle". Maintenant vous êtes habitué, et transcription officielle plus transcription figurée, cela risque de faire double emploi. Avant de nous lancer dans cette nouvelle aventure, quelques rappels utiles :

— le *h* est toujours aspiré ;

— le *sh* de la transcription se prononce comme notre "ch" français, le *ch* de la transcription comme "tch" ;

— le *e* de la transcription se prononce "é" quand il termine une syllabe, et "è" quand il est suivi, dans la

Leçon 35

syllabe, d'une consonne *n* ou *s* (cf. ありません *arimasen* (alimassèn') et です *desu* (dèss'), mais 店 *mise* (missé) et で *de* (dé);

— le *s* de la transcription, entre deux voyelles, se prononce toujours comme notre ''ss'' ;

— le *r* de la transcription se prononce entre notre ''r'' et notre ''l'' ;

— le seul point délicat reste ce qui se transcrit *ai* ou *ei*, car, selon les cas, on prononcera ''aï'', ''eï'' ou ''aill''', ''eill'''. Donc pour les mots nouveaux comportant ces

****

第三十六課　　　　　苗字
dai san　jû rok ka　　　　　**myô ji**

1 ー日本人 の 苗字 は 自然 の
ni hon jin　no　myô ji　wa　shi zen　no

物 を 表す 名前 が 多い
mono　o　arawa su　na mae　ga　oo i

です ね。
de su　ne

2 ーそう です ね。 それに 同じ
sô　de su　ne.　so re ni　ona ji

苗字 を 持って いる 人 が
myô ji　o　mo t te　i ru　hito　ga

たくさん います。(1)
ta ku sa n　i ma su

sons, nous maintiendrons une transcription figurée. De
même pour le *u,* qui, soit ne se prononce pas, soit se
prononce presque comme notre ''u'', soit entre notre
''œ'' et notre ''ou''.
Au début cela vous fera peut-être un vide. Mais vous
vous y ferez très vite, car, comme vous l'avez certainement déjà remarqué, il y a beaucoup de passages où il n'y
avait en fait aucune différence entre la transcription
officielle et la transcription figurée. Vous allez même
gagner du temps !

****

Les noms de famille   Trente-sixième leçon
(nom de famille)   (ième / trois-dix-six / leçon)

1 — Beaucoup de noms de famille japonais représentent des éléments naturels.
   (Japon-être humain / [relation] / nom de famille /
   [annonce] / nature / [relation] / chose / [objet] /
   exprimer / nom / [sujet] / être nombreux / c'est /
   [accord])

2 — Oui. De plus, il y a beaucoup de gens qui portent
   le même nom de famille.
   (oui) (de plus / identique / nom de famille / [objet]
   / posséder / être humain / [sujet] / beaucoup /
   se trouver)

NOTES
(1) います *imasu*, cf. leçon 35, par. 5.

*****

3 電話帳 に は 同じ 苗字 が
  den wa chô ni wa ona ji myô ji ga

  何ページ も 続く こと が あります。
  nan pê ji mo tsuzu ku ko to ga a ri ma su

4 たとえば、山田 とか 田中 とか
  ta to e ba, yama da to ka ta naka to ka

  鈴木 など と いう 名前 です。(2)
  suzu ki na do to i u na mae de su

5 -どうして そんな に 同じ 名前
  dô shi te so n na ni ona ji na mae

  の 人 が いる の です か。
  no hito ga i ru no de su ka.

  皆 親戚 の 人 です か。(3)
  minna shin seki no hito de su ka

6 -いいえ。必ずしも そう いう
  i i e. kanara zu shi mo sô i u

  わけ で は ありません。
  wa ke de wa a ri ma se n

7 昔 は 公家 と 武家 の 人
  mukashi wa ku ge to bu ke no hito

  しか 苗字 が ありません でした。(4)
  shi ka myô ji ga a ri ma se n de shi ta

3   Il arrive que, dans l'annuaire du téléphone, le même nom de famille se répète sur des pages et des pages.
(annuaire de téléphone / [lieu] / [renforcement] / identique / nom de famille / [sujet] / on ne sait combien de pages / continuer / le fait de / [sujet] / se trouver)

4   Par exemple des noms comme Yamada, Tanaka ou Suzuki.
(par exemple / Yamada / ou bien / Tanaka / ou bien / Suzuki / ce genre de choses / [citation] / dire / nom / c'est)

5 — Pourquoi y a-t-il tant de gens qui ont le même nom ? Ils sont tous parents ?
(pourquoi / de cette façon / [adverbial] / identique / nom / [relation] / être humain / [sujet] / se trouver / c'est que / [question]) (tous / parent / [relation] / être humain / c'est / [question])

6 — Non. Ce n'est pas obligatoirement pour cela.
(non) (obligatoirement / ainsi / dire / raison / ce n'est pas)

7   Autrefois seuls les nobles de la cour et les guerriers avaient des noms de famille.
(autrefois / [renforcement] / noble de la cour / et / guerrier / [relation] / être humain / seulement / nom de famille / [sujet] / ne pas se trouver)

NOTES (suite)

(2) など *nado*. Ce petit mot vient soit après un seul nom, soit après une énumération, pour dire ''tout ce qui est du même type que la (ou les) chose(s) que je viens de citer''. Ici, se trouvent avant など *nado* des noms de famille qui sont parmi les plus répandus. Ils sont cités à titre de spécimens. Ce qui importe, ce ne sont pas ces noms-là précisément, mais le type de nom qu'ils représentent. Tel est le rôle de など *nado*.

(3) の です *no desu*, cf. leçon 30, note 2.

(4) しか …ありません でした *shika arimasen deshita*, cf. leçon 30, note 4.

211

8 段々　平民　も　苗字　を　持つ
　dan dan　hei min　mo　myô ji　o　mo tsu

　こと　に　なりました。(5)
　ko to　ni　na ri ma shi ta

9 平民　は　田舎　に　住んで　いる
　hei min　wa　inaka　ni　su n de　i ru

　人　が　ほとんど　でした。
　hito　ga　ho to n do　de shi ta

10 どう　いう　苗字　を　つけよう
　dô　i u　myô ji　o　tsu ke yô

　か　と　思った　時、自然　に　関係
　ka　to　omo t ta　toki,　shi zen　ni　kan kei

　が　ある　苗字　を　作りました。(6)
　ga　a ru　myô ji　o　tsuku ri ma shi ta

11 たとえば、　山　に　田　を　持って
　ta to e ba,　yama　ni　ta　o　mo t te

　いた　人　は　「山田」　と　いう
　i ta　hito　wa　yama da　to　i u

　苗字　に　なりました。
　myô ji　ni　na ri ma shi ta

はつおん
発音

hatsu.on (hatsou.on.n') prononciation :
8. heill'min'.

8 Petit à petit les gens du peuple aussi se sont mis à avoir des noms de famille.
(graduellement / gens du peuple / aussi / nom de famille / [objet] / posséder / le fait de / [but] / être devenu)

9 La plupart des gens du peuple étaient des gens qui habitaient la campagne.
(gens du peuple / [annonce] / campagne / [lieu] / habiter / être humain / [sujet] / presque totalement / c'était)

10 Quand on s'est demandé quel nom leur donner, on a composé des noms de famille qui étaient en liaison avec la nature.
(comment / dire / nom de famille / [objet] / attachons / [question] / [citation] / avoir pensé / moment // nature / [but] / lien / [sujet] / se trouver / nom de famille / [objet] / avoir fabriqué)

11 Par exemple, quelqu'un qui possédait des rizières dans la montagne a pris le nom de Yamada.
(par exemple / montagne / [lieu] / rizière / [objet] / avoir possédé / être humain / [annonce] / Yamada / [citation] / dire / nom de famille / [but] / être devenu)

NOTES (suite)

(5) 段々 *dandan* (cf. leçon 10, note 3), le signe 々 indique que le kanji (caractère chinois) qui précède est répété.

(6) Nous avons plusieurs fois déjà pratiqué le verbe 思う *omou* "penser". Ici il est au passé degré moins 思った *omotta* "on a pensé". Ce que l'on a pensé se trouve avant le verbe, relié à lui par と *to,* c'est en quelque sorte nos "deux points ouvrez les guillemets", mais placé avant le verbe. Le contenu de la pensée s'exprime en style direct. Ici ce contenu est une question, et c'est cette question, telle quelle, qu'on trouvera devant le と *to,* d'où le か *ka.* Littéralement : "On a pensé : « quel nom allons-nous donner ? »".

12 「渡辺」 と いう 名前 は 川
watana be　to　i u　na mae wa　kawa

を 渡る 所 に 住んで いた
o　wata ru　tokoro　ni　su n de　i ta

人 に つけた 名前 です。
hito　ni　tsu ke ta　na mae　de su

13 「山中」 と いう 名前 は
yama naka　to　i u　na mae　wa

山 の 中 に 住んで いる と
yama no　naka　ni　su n de　i ru　to

いう 意味 です。
i u　i mi　de su

14 だから 日本人 の 苗字 を
da ka ra　ni hon jin　no　myô ji　o

覚える こと は むずかしく
obo e ru　ko to　wa　mu zu ka shi ku

ありません。
a ri ma se n

練習
renshû

1. スミス と いう 名前 は アメリカ人
sumisu to iu namae wa amerikajin

か イギリス人 の 名前 です。
ka igirisujin no namae desu

12 Le nom Watanabe est un nom qu'on a donné à quelqu'un qui habitait là où l'on traverse une rivière.
(Watanabe / [citation] / dire / nom / [annonce] / rivière / [objet] / traverser / endroit / [lieu] / avoir habité / être humain / [but] / avoir attaché / nom / c'est)

13 Le nom Yamanaka veut dire "qui habite dans la montagne".
(Yamanaka / [citation] / dire / nom / [annonce] / montagne / [relation] / intérieur / [lieu] / habiter / [citation] / dire / sens / c'est)

14 C'est pourquoi les noms de famille japonais ne sont pas difficiles à retenir.
(pour cette raison / Japon-être humain / [relation] / nom de famille / [objet] / se souvenir / le fait de / [annonce] / ne pas être difficile)

皆　親戚　の　人　です　か。

2. 日本人 の 苗字 は 自然 の 物 を
   にほんじん　　　みょうじ　　　　　しぜん　　　　もの
   nihonjin no myôji wa shizen no mono o

   表す　名前　が　ほとんど　です。
   あらわ　　なまえ
   arawasu namae ga hotondo desu

3. 女の人は皆香水が好き
   onna no hito wa minna kôsui ga suki

   です。
   desu

4. 来年から東京に住むことに
   rainen kara tôkyô ni sumu koto ni

   なります。
   narimasu

5. 渡辺さんではないかと思いました。
   watanabe san de wa nai ka to omoimashita

   ───────

…に言葉を入れなさい。
... ni kotoba o ire nasai

1. *Tous les objets qui sont ici sont anciens.*

   koko ni aru mono . . . .

2. *Il m'arrive parfois de prendre l'autobus.*

   tokidoki . . . . noru . . . .

****

Exercices

1. Smith est un nom américain ou anglais.
2. La plupart des noms de famille japonais représentent des éléments naturels.
3. Toutes les femmes aiment les parfums.
4. Je dois habiter à Tôkyô à partir de l'an prochain.
5. Je me suis demandé si ce n'était pas Mme Watanabe.

———————

3. *Nous travaillons dans le même bâtiment.*

. . . .

4. *Aux environs de la gare il y a beaucoup de commerces, comme des*

librairies, des cafés...

. . . . . atari . . honya toka kissaten . . . .

ga . . . .

5. *Ne sont venues que des personnes de la famille.*

shinseki no hito . . . . . ki . . . .

Réponses : **1.** - wa minna furui desu. **2.** - basu ni - koto ga arimasu. **3.** onaji bîru de hataraite imasu. **4.** eki no - ni - nado - takusan arimasu. **5.** - shika - masen deshita.

****

第三十七課　　　ハチ公(続き)
だい さんじゅう なな か　　　　　　こう　つづ

dai san jû nana ka　　　　　　ha chi kô (tsuzu ki)

1 -ハチ公 は 秋田犬 です から、
　　ha chi kô　wa　aki ta ken　de su　ka ra,
こう　　　あき た けん

飼い主 に よく 仕えます。(1) (2)
か ぬし
ka i nushi ni　yo ku tsuka e ma su
つか

2 でも その うち に 上野 さん
de mo　so no　u chi　ni　ue no　sa n
うえ の

は 亡くなりました。
な
wa na ku na ri ma shi ta

3 それでも ハチ公 は 毎日
so re de mo　ha chi kô　wa　mai nichi
こう　　　　まいにち

上野 さん を 迎え に 行きました。
うえ の　　　　　　むか　　　　　い
ue no　sa n　o　muka e　ni　i ki ma shi ta

4 毎日 何 時間 も 待ちました
まいにち なん じ かん　　　ま
mai nichi　nan　jikan　mo　ma chi ma shi ta

が、上野 さん は 帰って
うえ の　　　　　　　かえ
ga,　ue no　sa n　wa　kae t te

きません でした。
ki ma se n　de shi ta

発音
はつおん

hatsu.on (hatsou.on.n') prononciation :
1. kainouchi ... tsoukaémass' 2. sono outchi ... nakou
nalimach'ta 3. maill'nitchi

Hachikô
(suite)

Trente-septième leçon
(ième / trois-dix-sept / leçon)

1 — Etant un chien d'Akita, Hachikô était très fidèle à
son maître.
(Hachiko / [annonce] / Akita-chien / c'est / parce
que // maître / [attribution] / bien / servir)

2   Mais peu après M. Ueno mourut.
(mais / bientôt / [adverbial] / Ueno-M. /
[annonce] / être mort)

3   Pourtant, tous les jours, Hachikô allait à sa
rencontre.
(malgré cela / Hachikô / [annonce] / tous les jours
/ Ueno-M. / [objet] / aller à la rencontre / [but] /
être allé)

4   Tous les jours il attendait pendant des heures,
mais M. Ueno ne revenait pas.
(tous les jours / on ne sait combien d'heures /
avoir attendu / mais // Ueno-M. / [annonce] /
revenir / ne pas venir)

NOTES
(1) 秋田犬 Akita ken. Race de chiens japonais se
rapprochant des chiens de traîneau, à poils courts. Cette
race qui a été près de disparaître connaît actuellement
une grande vogue au Japon et aux U.S.A. La province
d'origine est celle d'Akita, partie ouest de la pointe nord
de Honshû, la plus grande île de l'archipel.

(2) 飼い主 *kainushi* "maître", mais seulement au sens
où l'on parle du "maître" d'un animal.

*****

5 何年間 も の 間、 ハチ公
nan nen kan mo no aida, ha chi kô

は 毎日 上野 さん を 迎え に
wa mai nichi ue no sa n o muka e ni

行きました。
i ki ma shi ta

6 ある 日、 ハチ公 も 死にました。
a ru hi, ha chi kô mo shi ni ma shi ta

7 渋谷 の 人々 は ハチ公 に
shibu ya no hito bito wa ha chi kô ni

感心 した ので、 駅 の 前 に
kan shin shi ta no de, eki no mae ni

ハチ公 の 銅像 を 建てる こと
ha chi kô no dô zô o ta te ru ko to

に しました。(3)
ni shi ma shi ta

8 今 で は ハチ公 の 銅像 は
ima de wa ha chi kô no dô zô wa

有名 です。日本中 の 人 が
yû mei de su. ni hon jû no hito ga

皆 その 話 を 知って います。
minna so no hanashi o shi t te i ma su

6. alou hi 8. yuumeill′ ... nihon.n′djuu

5 Pendant des années, Hachikô alla tous les jours à
la rencontre de M. Ueno.
(on ne sait combien d'années / [relation] /
intervalle de temps / Hachikô / [annonce] / tous
les jours / Ueno-M. / [objet] / aller à la rencontre
/ [but] / être allé)

6 Un jour, Hachikô aussi mourut.
(un certain / jour / Hachikô / aussi / être mort)

7 Comme les gens de Shibuya étaient en admiration
devant Hachikô, ils décidèrent de lui élever une
statue devant la gare.
(Shibuya / [relation] / êtres humains / [annonce] /
Hachikô / [attribution] / admiration-avoir fait /
parce que // gare / [relation] / devant / [lieu] /
Hachikô / [relation] / statue de bronze / [objet] /
construire / le fait de / [but] / avoir fait)

8 Maintenant la statue d'Hachikô est célèbre. Dans
tout le Japon les gens connaissent cette histoire.
(maintenant / [temps] / [renforcement] / Hachikô
/ [relation] / statue de bronze / [annonce] /
célèbre / c'est) (tout le Japon / [relation] / être
humain / [sujet] / tous / cette / histoire / [objet] /
connaître)

飼い主 に よく 仕えます。

37

NOTES (suite)
(3) 人々 (cf. leçon 36, note 5) : 人 *hito,* plus une autre
fois 人 *hito.* Mais le *h* initial du deuxième terme devient
b, d'où 人々 *hitobito.* Ce redoublement est une façon
simple d'exprimer un pluriel. Il n'existe que pour certains
mots, en nombre très limité.

9 渋谷駅 の 前 で 人 と 会う
shibu ya eki no mae de hito to a u

約束 を する 時、 人々 は
yaku soku o suru toki, hito bito wa

必ず 「ハチ公 の 銅像 の 前
kanara zu ha chi kô no dô zô no mae

で 会いましょう」 と 言います。(4)
de a i ma shô to i i ma su

10 -今晩 渋谷 の 辺り で、 一杯
kon ban shibu ya no ata ri de, ip pai

いかが です か。(5)
i ka ga de su ka

11 -じゃ、 ハチ公 の 前 で
ja, ha chi kô no mae de

会いましょう。
a i ma shô

9. a.ou **10.** ip'paill'.

練習
renshû

1. 三越 デパート で 働いて いた 時、
mitsukoshi depâto de hataraite ita toki,

渋谷 に 住んで いました。
shibuya ni sunde imashita

9 Quand ils prennent rendez-vous pour se rencontrer devant la gare de Shibuya, les gens disent
toujours : ''Rendez-vous devant la statue de
Hachikô''.
(Shibuya-gare / [relation] / devant / [lieu] / être
humain / [accompagnement] / rencontrer /
rendez-vous / [objet] / faire / moment // êtres
humains / [annonce] / sans faute / Hachikô /
[relation] / statue de bronze / [relation] / devant /
[lieu] / rencontrons-nous / [citation] / dire)

10 — Que diriez-vous d'un verre ce soir du côté de
Shibuya ?
(ce soir / Shibuya / [relation] / environs / [lieu] /
un-verre / comment / c'est / [question])

11 — Alors, rendez-vous devant Hachikô.
(alors / Hachikô / [relation] / devant / [lieu] /
rencontrons-nous)

NOTES (suite)

(4) Cf. leçon 36, note 6. Avec le verbe 言う *iu* ''dire'', ce
qui précède と *to* reproduit les paroles elles-mêmes.
(5) 杯 *hai* (cf. leçon 22, note 3), ce mot s'emploie
lorsqu'on compte les verres... pleins. 一杯 *ippai*,
littéralement ''un verre'', comme chez nous !

---

2. 田中 さん を 迎え に 行く こと
tanaka san o mukae ni iku koto

に しました。
ni shimashita

3. 伯父 は 六 年 間 ぐらい 中国 に
oji wa roku nen kan gurai chûgoku ni

いました。
imashita

4. 兄 は 車 を 二 台 持って います。
   ani wa kuruma o ni dai motte imasu

5. 朝 早く 人 と 会う 時、「おはよう
   asa hayaku hito to au toki, "o hayô

   ございます」 と 言います。
   gozaimasu" to iimasu

…に 言葉 を 入れ なさい。

... ni kotoba o ire nasai

1. *Je me lève tous les jours à huit heures et demie.*

. . . .

2. *Connaissez-vous l'histoire de Hachikô ?*

   Hachikô . . . .

3. *La voiture de Suzuki aussi est rouge.*

   . . . . kuruma . . . .

****

第三十八課   書類
dai san   jû hak ka   sho rui

1 -この 書類 は わからない ところ
   ko no sho rui wa wa ka ra na i to ko ro

   が たくさん あります から、説明
   ga ta ku sa n a ri ma su ka ra, setsu mei

   して 下さい。
   shi te kuda sa i

Exercices

1. Quand je travaillais au grand magasin Mitsukoshi, j'habitais à Shibuya.
2. J'ai décidé d'aller chercher M. Tanaka.
3. Mon oncle est resté en Chine à peu près six ans.
4. Mon frère aîné a deux voitures.
5. Quand on rencontre quelqu'un tôt le matin, on dit "o hayô gozaimasu (bonjour)".

————

4. *J'ai travaillé dix ans dans cet aéroport.*

kono hikôjô de . . . . hataraite imashita

5. *Tous les camions de ma société sont bleus.*

. . . . kaisha . . . . wa

. . . .

Réponses : 1. mainichi hachi ji han ni okimasu. 2. - no hanashi o shitte imasu ka. 3. Suzuki san no - mo akai desu. 4. - jû nen kan -. 5. watakushi no - no torakku - minna aoi desu.

****

Le formulaire　　　　　　**Trente-huitième leçon**
(formulaire)　　　　　　(ième / trois-dix-huit / leçon)

1 — Dans ce formulaire, il y a beaucoup de choses que je ne comprend pas, tu peux m'expliquer ?
(ce / formulaire / [annonce] / ne pas être compréhensible / endroit / [sujet] / beaucoup / se trouver / parce que // explication-faites)

2 名前 と 苗字 の 意味 は
na mae to myô ji no i mi wa

わかります が、 国籍 と は 何
wa ka ri ma su ga, koku seki to wa nan

です か。
de su ka

3 - 国籍 と いう の は あなた
koku seki to i u no wa a na ta

は どこ の 国 の 人 です か
wa do ko no kuni no hito de su ka

と いう こと です。(1) (2)
to i u ko to de su

4 必 ずしも 生まれた 国 で
kanara zu shi mo u ma re ta kuni de

は ありません。
wa a ri ma se n

5 たとえば 由美 さん は
ta to e ba yu mi sa n wa

オーストラリア で 生まれました が
ô su to ra ri a de u ma re ma shi ta ga,

国籍 は 「日本」 です。
koku seki wa ni hon de su

2 Je comprends le sens de "namae (prénom)" et de
"myôji (nom de famille)", mais qu'est-ce que
c'est "kokuseki (nationalité)" ?
(prénom / et / nom de famille / [relation] / sens /
/ [annonce] / être compréhensible / mais //
nationalité / [citation] [annonce] / quoi / c'est /
[question])

3 — Avec "kokuseki (nationalité)", il s'agit de savoir de
quel pays tu es.
(nationalité / [citation] / dire / [remplacement] /
[annonce] / toi / [annonce] / où / [relation] / pays
/ [relation] / être humain / c'est / [question] /
[citation] / dire / le fait de / c'est)

4 Ce n'est pas obligatoirement le pays où on est né.
(obligatoirement / être né / pays / ce n'est pas)

5 Par exemple, Yumi est née en Australie mais sa
nationalité, c'est "japonaise".
(par exemple / Yumi-Mlle / [annonce] / Australie
/ [lieu] / être né / mais // nationalité / [annonce] /
Japon / c'est)

NOTES
(1) 国籍 と いう の は *kokuseki to iu* **no** *wa*. Ce
の *no,* que nous avons ici est un autre の *no.* Nous
connaissons jusqu'à maintenant un の *no* de "relation"
qui se trouvait entre deux noms. Celui de cette phrase 3,
se trouve entre un verbe et une particule. Il sert à
remplacer soit un nom qu'on a déjà prononcé auparavant,
soit un nom qui serait évident dans le contexte. Ici, le
nom attendu serait 言葉 *kotoba* "mot" (cf. intitulé de
l'exercice 2 dans chaque leçon). Littéralement : **ce** (le mot)
qui se dit "kokuseki". Dans la traduction décomposée,
nous exprimerons la fonction de ce の *no* par [remplac-
ement].
(2) Cf. leçon 37, note 4. Littéralement : "c'est une chose
qui dit : de quel pays êtes-vous ?".

6 あなた の 国籍 は 「スペイン」
a na ta   no   koku seki   wa   su pe i n

です。
de su

7 - 住所 は わかります。住んで
jû sho   wa   wa ka ri ma su.   su n de

いる 所 です ね。
i ru   tokoro   de su   ne

8 職業 と は どう いう 意味
shoku gyô   to   wa   dô   i u   i mi

です か。
de su   ka

9 - あなた が して いる 仕事
a na ta   ga   shi te   i ru   shi goto

の こと です。
no   ko to   de su

10 この 書類 は 何 の ため の
ko no   sho rui   wa   nan   no   ta me   no

物 です か。
mono   de su   ka

11 滞在 許可証 の ため です か。
tai zai   kyo ka shô   no   ta me   de su   ka

12 大学 に 入学 する ため
dai gaku   ni   nyû gaku   su ru   ta me

です か。
de su   ka

6 Ta nationalité à toi, c'est "espagnole".
(toi / [relation] / nationalité / [annonce] / Espagne / c'est)

7 — "jûsho (adresse)", je comprends. C'est l'endroit où on habite !
(adresse / [annonce] / être compréhensible) (habiter / endroit / c'est / [accord])

8 Qu'est-ce que veut dire "shokugyô (profession)" ?
(profession / [citation] / [annonce] / comment / dire / sens / c'est / [question])

職業 と は どう いう 意味 です か。

38

9 — C'est le travail que tu fais.
(toi / [sujet] / faire / travail / [relation] / chose / c'est)

10 C'est pour quoi faire ce formulaire ?
(ce / formulaire / [annonce] / quoi / [relation] / but / [relation] / chose / c'est / [question])

11 C'est pour un permis de séjour ?
(séjour-permis / [relation] / but / c'est / [question])

12 C'est pour entrer à l'université ?
(université / [but] / entrer à l'université-faire / but / c'est / [question])

Leçon 38

13 -いいえ。 テニス・クラブ に 入る
   i i e.   te ni su . ku ra bu   ni   hai ru

ため です。
ta me de su

発音
hatsu.on (hatsou.on.n′) prononciation :
1. cholouï ... ouakalanaill′ ... sètsoumeill′ **2.** kokousséki **3.** kouni **4.** oumaléta **5.** yumi ... oos′tolalia **6.** speill′n′ **7.** djuucho **8.** chokougyoo **11.** taill′zaill′.

———

練習
renshû

1. 意味 が わからない 言葉 が たくさん
   imi ga wakaranai kotoba ga takusan

   あります。
   arimasu

2. 住所 と は 住んで いる ところ です。
   jûsho to wa sunde iru tokoro desu

3. 書類 と は どう いう 意味 です か。
   shorui to wa dô iu imi desu ka

4. 仕事 の ため です。
   shigoto no tame desu

5. この 道 は 犬 を 散歩 させる
   kono michi wa inu o sanpo saseru

   ため の 道 です。
   tame no michi desu

13 — Non. C'est pour entrer dans un club de tennis.
(non) (tennis-club / [but] / entrer / intention /
c'est)

_____

Exercices

1. Il y a beaucoup de mots que je ne comprends pas.
2. L'adresse, c'est l'endroit où on habite.
3. Que veut dire "shorui" ?
4. C'est pour mon travail.
5. Ce chemin est fait pour y promener les chiens.

…に 言葉 を 入れ なさい。

… ni kotoba o ire nasai

1. _Que veut dire "kippu (ticket)" ?_

kippu . . . . . dô . . . .

2. _C'est pour mon voyage de la semaine prochaine._

. . . .

3. _Je comprends "kuni (pays)" mais je ne comprends pas "kokuseki_

(nationalité)".

kuni . . . . kokuseki . .

. . . .

4. _Il vient de quel pays ?_

. . . .

5. _Je suis né en Chine, mais je suis Japonais._

watakushi wa . . . .

. . . .

Réponses : 1. - to wa - iu imi desu ka. 2. raishû no ryokô no
tame desu. 3. - wa wakarimasu ga - wa wakarimasen. 4. doko
no kuni no hito desu ka. 5. - chûgoku de umaremashita ga
kokuseki wa nihon desu.

第三十九課　両親への手紙
だい さん じゅう きゅう か　りょう しん　　て がみ

dai san　jû kyu　ka　　　ryô shin　e　no　te gami

1　おととい　の　木曜日　は　お祖父さん
　　o to to i　no　moku yô bi　wa　o jii san

　　と　お祖母さん　と　上野　の　動物園
　　to　o baa san　to　ue no　no　dô butsu en

　　へ　行って　きました。(1) (2)
　　e　i tte　ki ma shi ta

2　　私達　は　初めて　動物園　へ
　　watashi tachi　wa haji me te　dô butsu en　e

　　行った　ので、大喜び　でした。
　　i tta　no de,　oo yoroko bi　de shi ta

3　一　時間　以上　並びました。
　　ichi　jikan　i jô　nara bi ma shi ta

4　「どうして　こんな　に　皆　並ぶ
　　　dô shi te　ko n na　ni　minna　nara bu

　　の　です　か」　と　お祖父さん　に
　　no　de su　ka　　　to　o jii san　ni

　　聞きました。
　　ki ki ma shi ta

Trente-neuvième leçon
(ième / trois-dix-neuf / leçon)

Lettre aux parents
(père et mère / [destination] / [relation] / lettre)

1 Avant-hier, jeudi, nous sommes allés au zoo d'Ueno avec grand-père et grand-mère.
(avant-hier / [relation] / jeudi / [renforcement] / grand-père / et / grand-mère / [accompagnement] / Ueno / [relation] / zoo / [destination] / aller / être venu)

2 Comme c'était la première fois que nous allions au zoo, nous étions très contents.
(nous / [annonce] / pour la première fois / zoo / [destination] / être allé / parce que // grande joie / c'était)

3 Nous avons fait la queue plus d'une heure.
(un-heure-plus de / avoir fait la queue)

4 J'ai demandé à grand-père : "Pourquoi y a-t-il tant de gens à faire la queue ?"
(pourquoi / de cette façon / [adverbial] / tous / faire la queue / c'est que / [question] / [citation] / grand-père / [attribution] / avoir demandé)

NOTES

(1) Ici c'est un enfant qui s'exprime. Nous avions vu que pour parler des membres de sa propre famille, un adulte ne doit jamais faire suivre de さん *san* le terme de parenté. (Cf. leçon 26, note 2), alors qu'il l'emploiera pour les membres de la famille d'autres personnes (cf. leçon 15, notes 1 et 3 ; leçon 23, note 1). Mais cela fait partie du langage enfantin d'employer さん *san* après les noms désignant les membres de sa famille.

(2) 上野 Ueno, quartier de la partie nord de Tôkyô. S'y trouve aussi le plus grand musée d'art national du Japon.

5 「春 は 子供 が 生まれる
haru wa ko do mo ga u ma re ru

季節 な ので、 皆 見 に くる
ki setsu na no de, minna mi ni ku ru

の です」 と お祖父さん が
no de su to o jii sa n ga

答えました。(3)
kota e ma shi ta

6 先ず 首 が 長い きりん を
ma zu kubi ga naga i ki ri n o

見ました。 それから しわ だらけ
mi ma shi ta. so re ka ra shi wa da ra ke

の 三 頭 の 象 を 見ました。(4)
no san tô no zô o mi ma shi ta

7 一 頭 は 耳 が 小さい
it tô wa mimi ga chii sa i

アフリカ 象 でした。 もう 二頭 は
a fu ri ka zô de shi ta. mô ni tô wa

耳 が 大きい インド 象 でした。
mimi ga oo ki i in do zô de shi ta

8 愛嬌 が いい 熊 は ピーナッツ
ai kyô ga i i kuma wa pî na t tsu

を むしゃ むしゃ 食べて いました。(5)
o mu sha mu sha ta be te i ma shi ta

5 "Comme le printemps est la saison où naissent les petits, tout le monde vient les voir", m'a répondu grand-père.
(printemps / [annonce] / enfant / [sujet] / naître / saison / c'est / parce que // tous / regarder / [but] / venir / c'est que / [citation] / grand-père / [sujet] / avoir répondu)

6 D'abord nous avons vu la girafe au long cou. Puis nous avons vu trois éléphants tout ridés.
(d'abord / cou / [sujet] / être long / girafe / [objet] / avoir regardé) (ensuite / ride-couvert de / [relation] / trois-gros animal / [relation] / éléphant / [objet] / avoir regardé)

7 L'un était un éléphant d'Afrique aux petites oreilles. Les deux autres étaient des éléphants des Indes, avec des grandes oreilles.
(un-gros animal / [annonce] / oreille / [sujet] / être petit / Afrique-éléphant / c'était) (encore / deux-gros animal / [annonce] / oreille / [sujet] / être grand / Inde-éléphant / c'était)

8 Un ours rigolo mangeait des cacahuètes avec ardeur.
(drôlerie / [sujet] / être bien / ours / [annonce] / cacahuète / [objet] / miam miam / avoir mangé)

NOTES (suite)

(3) な ので *na node*, cf. leçon 33, note 1.

(4) 頭 *tô*, lorsqu'on compte des animaux... volumineux ! Littéralement "tête".

(5) むしゃ むしゃ *musha musha*, fait partie d'un type de mots très amusants et très nombreux en japonais, mais totalement intraduisibles, qui, soit reproduisent des bruits, soit rendent l'impression produite par un geste, une lumière, etc. Ici, la façon de mâcher.

9 川崎　先生　に　よく　似た　猿
　kawa saki sen sei　ni　yo ku　ni ta　saru

　が　木　の　枝　から　枝　へ
　ga　ki　no　eda　ka ra　eda　e

　飛び移って　いました。
　to bi utsu t te　i ma shi ta

10 眠そう　な　目　を　した　らくだ
　nemu sô　na　me　o　shi ta　ra ku da

　が　ゆっくり　歩いて　いました。(6)
　ga　yu k ku ri　aru i te　i ma shi ta

11 ライオン　が　檻　の　中　で
　ra i o n　ga　ori　no　naka　de

　吠えた　時　に　は、妹　の　かおる
　ho e ta　toki　ni　wa, imôto　no　ka o ru

　ちゃん　が　驚いて　泣きました。
　cha n　ga　odoro i te　na ki ma shi ta.

　きっと　こわかった　の　でしょう。(7)
　ki t to　ko wa ka t ta　no　de shô

12 パンダ　の　檻　の　前　は　たくさん
　pa n da　no　ori　no　mae　wa　ta ku sa n

　の　人　が　並んで　いた　ので
　no　hito　ga　nara n de　i ta　no de

　見る　こと　が　できません　でした。
　mi ru　ko to　ga　de ki ma se n　de shi ta

NOTES (suite)
(6) 眠そう *nemusô*, cf. leçon 25, note 1.

9 Un singe qui ressemblait beaucoup à mon professeur M. Kawasaki sautait de branche en branche.
(Kawasaki-professeur / [attribution] / bien / ressembler / singe / [sujet] / arbre / [relation] / branche / à partir de / branche / [destination] / sauter d'un endroit à un autre)

10 Un chameau aux yeux tout ensommeillés marchait lentement.
(qui a l'air ensommeillé / c'est / œil / [objet] / avoir fait / chameau / [sujet] / lentement / avoir marché)

11 Quand le lion a rugi dans sa cage, ma petite sœur Kaoru, surprise, s'est mise à pleurer. Sans doute a-t-elle eu peur.
(lion / [sujet] / cage / [relation] / intérieur / [lieu] / avoir rugi / moment / [temps] / [renforcement] // petite sœur / [relation] / Kaoru / [sujet] / être surpris / avoir pleuré) (certainement / avoir été saisi de peur / je crois que c'est)

12 Comme devant la cage du panda il y avait une longue queue, nous n'avons pas pu le voir.
(panda / [relation] / cage / [relation] / devant / [annonce] / beaucoup / [relation] / être humain / [sujet] / avoir fait la queue / parce que // regarder / le fait de / [sujet] / ne pas avoir été possible)

とても　楽しい　一日　でした。

NOTES (suite)

(7) かおる　ちゃん *kaoru chan*. ちゃん *chan*, déformation de さん*san*, qu'on emploie souvent avec le nom d'un petit enfant, surtout s'il s'agit d'une petite fille.

13 その 代わり、お祖父さん が パンダ
so no ka wa ri,   o jii sa n   ga pa n da

の 絵葉書 を 一枚 ずつ 買って
no e ha gaki o ichi mai zu tsu k a t te

くれました。
ku re ma shi ta

14 とても 楽しい 一日 でした。
to te mo   tano shi i   ichi nichi   de shi ta

発音
はつおん

hatsu.on (hatsou.on.n′) prononciation :
1. ototoï ... mokouyoobi ... dooboutsou.èn′ 4. nalabou ...
5. kissètsou 6. mazou koubi ... nagaill′ 8. aill′kyoo ...
kouma ... mouchamoucha 9. sen′seill′ ... salou ...
outsout′té. 10. némoussoo ... lakouda ... youk′kouli 11.
kaolou ... odoloïté

___

練習
れんしゅう
renshû

1. 先週 の 木曜日 初めて インド 料理
senshû no mokuyôbi hajimete indo ryôri

を 食べました。
o tabemashita

2. 東京 から 静岡 まで は 百 五 十
tôkyô kara shizuoka made wa hyaku go juk

キロ 以上 あります。
kiro ijô arimasu

13 A la place, grand-père nous a acheté à chacun une
carte postale du panda.
(de ceci / remplacement / grand-père / [sujet] /
panda / [relation] / carte postale / [objet] / un-feuille
/ chaque / acheter / avoir fait pour nous)

14 Ce fut une journée merveilleuse.
(très / être agréable / une journée / c'était)

---

3. 「なぜ 泣くの」と 妹 に 聞きました。
naze naku no to imôto ni kikimashita

4. 飼い主 に 似た 犬 です。
kainushi ni nita inu desu

5. 向こうの 店 に おいしそう な
mukô no mise ni oishisô na

お 菓子 が あります。
o kashi ga arimasu

Exercices

1. J'ai mangé pour la première fois de la cuisine indienne jeudi
de la semaine dernière.
2. De Tôkyô à Shizuoka il y a plus de 150 kilomètres.
3. J'ai demandé à ma petite sœur pourquoi elle pleurait.
4. C'est un chien qui ressemble à son maître.
5. Dans le magasin d'en face il y a des gâteaux qui ont l'air
délicieux.

…に 言葉 を 入れ なさい。

... ni kotoba o ire nasai

1. *Je suis allé faire des courses avec Yumi et Kaoru.*

. . . . kaimono ni

. . . .

239

2. *Comme c'était dimanche, la banque était fermée.*

. . . . datta node, ...

yasumi . . . .

3. *Mon fils m'a répondu qu'il avait vu des girafes, des éléphants et des lions.*

. . . .

. . . .

4. *Nous avons attendu devant la cage des ours.*

. . . .

****

だいよんじゅっか
第四十課　　　　工場　見学
dai yon juk ka　　　　kô jô　ken gaku

1 ーよう　こそ　いらっしゃいました。(1)
　yô　ko so　i ra s sha i ma shi ta

2 これから　私共　の　工場　を
　ko re ka ra watakushi domo no　kô jô　o
　ご　案内　しましょう。(2) (3)
　go　an nai　shi ma shô

*****

5. *Donnez-moi des mandarines et des pommes, deux de chaque s'il*

vous plaît.

. . . . futatsu . . . . .

. . . .

Réponses : **1.** yumi san to kaoru san to - ikimashita. **2.** nichiyôbi -, ginkô wa - deshita. **3.** kirin to zô to raion o mimashita to musuko ga kotaemashita. **4.** kuma no ori no mae de machimashita. **5.** mikan to ringo o - zutsu kudasai.

****

| La visite d'une usine (usine-visite) | Quarantième leçon (ième / quatre-dix / leçon) |

La visite d'une usine
(usine-visite)

Quarantième leçon
(ième / quatre-dix / leçon)

1 — Bienvenue !

2　Nous allons commencer la visite de notre usine. (à partir de maintenant / nous / [relation] / usine / [objet] / [politesse]-guidage-faisons)

NOTES

(1) Formule de bienvenue, construite exactement comme l'expression française équivalente, puisque littéralement elle veut dire : très **bien** / être **venu** .

(2) 私共 *watakushidomo* 'nous'', s'emploie uniquement pour un ''nous'' officiel. Ici, ce ''nous'' représente une société.

(3) ご 案内 *go annai.* 案内 *annai* seul signifie l'acte de guider quelqu'un. Ajouter ご *go,* c'est mettre, en quelque sorte, ce nom à un degré plus. C'est aussi parfois le rôle de お *o,* cf. leçon 34, phrase 9.

3 ここ で は 電気 製品 を 主
ko ko de wa den ki sei hin o omo

に 作って います。
ni tsuku t te i.ma su

4 どうぞ、 こちら へ。 足元 に
dô zo, ko chi ra e. ashi moto ni

気 を つけて 下さい。
ki o tsu ke te kuda sa i

5 ここ は できあがった 電気
ko ko wa de ki a ga t ta den ki

製品 の 倉庫 です。できた 年代
sei hin no sô ko de sụ. de ki ta nen dai

ごと に 置いて あります。
go to ni o i te a ri ma su

6 右 の 建物 は 事務所 です。
migi no tate mono wa ji mu sho de su.

左 の 建物 は 製造 工場
hidari no tate mono wa sei zô kô jô

です。
de su

7 -すみません が、 ちょっと 質問
su mi ma se n ga, cho t to shitsu mon

が ある の です けれども…。
ga a ru no de su ke re do mo

3 Ici nous fabriquons principalement du matériel électrique.
(ici / [lieu] / [renforcement] / électrique-objet fabriqué / [objet] / principal / [adverbial] / fabriquer)

4 Par ici, je vous prie. Faites attention où vous marchez.
(je vous prie / ce côté / [destination]) (pied-base / [but] / votre attention / [objet] / attachez)

すみません が ちょっと 質問 が ある の です けれども…

5 Ici ce sont les entrepôts pour les produits une fois terminés. Ils sont classés par ordre chronologique de fabrication.
(ici / [annonce] / être terminé / électrique-objet fabriqué / [relation] / entrepôt / c'est) (être fini / ordre chronologique / [adverbial] / être posé)

6 Le bâtiment de droite, ce sont les bureaux. Ceux de gauche, les ateliers de fabrication.
(droite / [relation] / bâtiment / [annonce] / bureau / c'est) (gauche / [relation] / bâtiment / [annonce] / fabrication-usine / c'est)

7 — Excusez-moi mais je voudrais poser une question.
(excusez-moi / mais // un peu / question / [sujet] / se trouver / c'est que / bien que)

8 - どうぞ。何 です か。
　　dô zo.　nan　de su　ka

9 - 工員 が 全然 見えません が、
　　kô in　ga　zen zen　mi e ma se n　ga,

　　どこ に いる の です か。
　　do ko　ni　i ru　no　de su　ka

10 - 前 は 工員 が して いた
　　mae　wa　kô in　ga　shi te　i ta

　　仕事 を 今 は ロボット が
　　shi goto　o　ima　wa　ro bo t to　ga

　　全部 して います。
　　zen bu　shi te　i ma su

11 コンピュータ が ロボット を
　　ko n pyû ta　ga　ro bo t to　o

　　動かして います。
　　ugo ka shi te　i ma su

12 - 失業者 は 出なかった の
　　shitsu gyô sha　wa　de na ka t ta　no

　　です か。(4)
　　de su　ka

13 - 工員 は 私達 が 持って
　　kô in　wa　watakushi tachi　ga　mo t te

　　いる ロボット を 作る 工場
　　i ru　ro bo t to　o　tsuku ru　kô jô

　　と コンピュータ を 組立てる
　　to　ko n pyû ta　o　kumi ta te ru

8 — Je vous en prie. Que voulez-vous savoir ?
(je vous en prie) (quoi / c'est / [question])

9 — Je ne vois pas du tout d'ouvriers, où sont-ils ?
(ouvrier / [sujet] / pas du tout / ne pas être visible
/ mais // où / [lieu] / se trouver / c'est que /
[question])

10 — Ce sont maintenant des robots qui font entièrement le travail que faisaient les ouvriers auparavant.
(avant / [renforcement] / ouvrier / [sujet] / avoir
fait / travail / [objet] / maintenant / [renforce-
ment] / robot / [sujet] / entièrement / faire)

11 Et des ordinateurs commandent les robots.
(ordinateur / [sujet] / robot / [objet] / faire
bouger)

12 — N'y a-t-il pas eu de chômeurs ?
(chômeur / [annonce] / ne pas être apparu / c'est
que / [question])

13 — Les ouvriers travaillent dans une usine qui
fabrique des robots et une usine qui assemble des
ordinateurs, usines qui nous appartiennent.
(ouvrier / [annonce] / nous / [sujet] / posséder /
robot / [objet] / fabriquer / usine / et / ordinateur
/ [objet] / assembler / usine / [lieu] / travailler)

NOTES (suite)
(4) 出なかった *denakatta,* degré moins correspondant à
出ません でした *demasen deshita* ''ne pas être apparu
(ou sorti)''.

*****

工場 で 働いて います。
kô jô de hatara i te i ma su

発音
hatsu.on (hatsou.on.n') prononciation :
1. ilach'chaimach'ta 2. an'naill' 3. seill'hin' 5. nèn'daill' 6.
seill'zoo 7. chitsoumon.n' 11. kon.n'pyuuta ... ougoka-
chité 12 chitsougyoocha 13 koumitatélou.

練習
renshû

1. すみません、郵便局 は どこ に
   sumimasen, yûbinkyoku wa doko ni

   あります か。
   arimasu ka

2. この 駅 から は 主 に 西 の 方
   kono eki kara wa omo ni nishi no hô

   へ 行く 汽車 が 出発 します。
   e iku kisha ga shuppatsu shimasu

3. 私共 は 自動車 を 組み立てる
   watakushidomo wa jidôsha o kumitateru

   工場 と 電話 を 作る 工場 を
   kôjô to denwa o tsukuru kôjô o

   持って います。
   motte imasu

4. 皆 入院 した ので、家 に だれも
   minna nyû.in shita node, ie ni daremo

   いません。
   imasen

5. 鞄 を 作る ロボット を 動かす
   kaban o tsukuru robotto o ugokasu

   コンピュータ を 作る 工場 です。
   konpyûta o tsukuru kôjô desu

Exercices

1. Excusez-moi, où se trouve la poste ?
2. De cette gare partent surtout des trains qui vont vers l'ouest.
3. Notre société possède une usine de montage d'automobiles et une usine de fabrication de téléphones.
4. Comme ils sont tous à l'hôpital, il n'y a personne à la maison.
5. C'est une usine qui fabrique des ordinateurs qui commandent des robots qui fabriquent des sacs.

…に 言葉 を 入れ なさい。

... ni kotoba o ire nasai

1. *Faites attention aux voitures.*

   jidôsha . . . .

2. *La société où je travaillais fabriquait du matériel électrique.*

   watashi ga . . . . wa . . . . .

   . . . .

3. *Les robots font tout le travail mais il n'y a pas eu de chômeurs.*

   . . . . ' . . , . .

   . . . . demasen . . . .

4. *Je ne comprends rien du tout.*

   . . . .

5. *En ce moment nous sommes en train de construire des bureaux.*

   . . . . tate . . . .

Réponses : 1. - ni ki o tsukete kudasai. **2.** - hataraite ita kaisha - denki seihin o tsukutte imashita. **3.** robotto ga shigoto o zenbu shite imasu ga shitsugyôsha wa - deshita. **4.** zenzen wakarimasen. **5.** ima jimusho o - te imasu.

第四十一課　　変わった　人

だい よん じゅう いっ か　　か　わ　っ　た　　ひと

dai yon jû ik ka　　ka wa t ta　hito

1 - 私　の　友達　の　マノリータ

わたし　　　ともだち

watashi no tomo dachi no ma no lî ta

　　に　会った　こと　が　あります　か。

　　あ

　　ni　a t ta　ko to　ga　a ri ma su　ka

2 - 会った　こと　が　ありません。

　　あ

　　a t ta　ko to　ga　a ri ma se n

3 - とても　おもしろい　アルゼンチン人

じん

　　to te mo　o mo shi ro i　a ru ze n chi n jin

　　です。(1)

　　de su

4 - 職業　は？

しょくぎょう

　　shoku gyô　wa ?

5 - 作曲家　です。

さっきょくか

　　sak kyoku ka　de su

6 - 女　の　作曲家　です　か。

おんな　　　　さっきょくか

　　onna　no　sak kyoku ka　de su　ka.

　　めずらしい　です　ね。

　　me zu ra shi i　de su　ne

7 - そう　です　ね。でも　マノリータ

　　sô　de su　ne.　de mo　ma no lî ta

　　は　変わった　人　です。

　　か　　　　ひと

　　wa　ka wa t ta　hito　de su

Quarante et unième leçon
(ième / quatre-dix-un / leçon)

Quelqu'un d'original
(avoir changé / être humain)

1 — Avez-vous déjà rencontré mon amie Manolita ?
(moi / [relation] / ami / [relation] / Manolita / [but]
/ avoir rencontré / le fait de / [sujet] / se trouver /
[question])

2 — Non.
(avoir rencontré / le fait de / [sujet] / ne pas se
trouver)

3 — C'est une Argentine vraiment amusante.
(très / être amusant / Argentine-être humain /
c'est)

4 — Qu'est-ce qu'elle fait ?
(profession / [annonce])

5 — Elle est compositeur.
(compositeur / c'est)

6 — Une femme compositeur ? C'est rare !
(femme / [relation] / compositeur / c'est /
[question]) (être rare / c'est / [accord])

7 — Oui. Mais Manolita est quelqu'un d'original !
(oui) (mais / Manolita / [annonce] / avoir changé /
être humain / c'est)

とても　いそがしい　と　言って　います。

NOTES

(1) アルゼンチン人 *aruzenchinjin*, cf. leçon 28, par. 1.

8 今 オペラ を 作曲 して
   ima o pe ra o sak kyoku shi te

いる そう です。
 i ru sô de su

9 とても いそがしい と 言って
 to te mo i so ga shi i to i t te

います。他 の 約束 は 断る
i ma su. hoka no yaku soku wa kotowa ru

のに、マージャン に 誘う と
no ni, mâ ja n ni saso u to

必ず 来ます。(2)
kanara zu ki ma su

10 この 間 も、アルゼンチン 料理
ko no aida mo, a ru ze n chi n ryô ri

を ごちそう して くれる と いった
o go chi sô shi te ku re ru to i t ta

ので、楽しみ に して いました。
no de, tano shi mi ni shi te i ma shi ta

11 三 時間 前 に 電話 が
  san ji kan mae ni den wa ga

かかって きました。
ka ka t te ki ma shi ta

*****

8   En ce moment il paraît qu'elle écrit un opéra.
(maintenant / opéra / [objet] / composition-faire
/ il paraît que)

9   Elle dit être très occupée. Bien qu'elle refuse tous
les autres rendez-vous, quand on l'invite pour un
mah-jong, elle vient sans faute.
(très / être occupé / [citation] / dire) (autre /
[relation] / rendez-vous / [annonce] / refuser /
bien que // mah-jong / [but] / inviter / quand //
sans faute / venir)

10   L'autre jour elle avait dit qu'elle nous ferait un
dîner argentin et nous nous en réjouissions.
(ce / intervalle de temps / aussi / Argentine-
cuisine / [objet] / régal-faire / faire pour nous /
[citation] / avoir dit / parce que // réjouissance /
[but] / avoir fait)

11   Trois heures avant, le téléphone a sonné.
(trois-heure-avant / [temps] / téléphone / [sujet]
/ fonctionner / être venu)

NOTES (suite)

(2) Le **mah-jong** est un jeu d'origine chinoise, qui a été
très à la mode en Occident vers les années 20 et qui fait
aujourd'hui partie des occupations quasi obligatoires de
tout employé japonais. Au Japon il se joue toujours avec
mises en bon argent, et parfois une bonne partie du
salaire y passe. Il semble revenir à la mode en Occident
depuis quelques années.

*****

12 前 の 日 から 病気 だった
   mae no hi kara byô ki da t ta

   そう です。 ですから お 料理 は
   sô de su. de su ka ra o ryô ri wa

   作れなく なった そう です。 でも
   tsuku re na ku na t ta sô desu. de mo

   食後 に する マージャン は
   shoku go ni su ru mâ ja n wa

   大丈夫 だ と 言う の です。(3)
   dai jô bu da to i u no de su

13 マノリータ は いつも この 調子
   ma no lî ta wa i tsu mo ko no chô shi

   です が、 とても 温かい 人
   de su ga, to te mo atata ka i hito

   なので、 友達 が たくさん います。
   na no de, tomo dachi ga ta ku sa n i ma su

14 今度 紹介 します。
   kon do shô kai shi ma su

発音
hatsu.on (hatsou.on.n′) prononciation :
6. mézoulachiï **8.** sak′kyokou **9.** kotooualou ... sasso.ou
12 tsoukoulénaku ... chokougo **13.** atatakaill′ **14.** choo-
kaill′.

___

練習
renshû

1. 二 階 だて の イギリス の バス に
   ni kai date no igirisu no basu ni

252

12   Il paraît qu'elle était malade depuis la veille. Et
      donc elle ne pouvait pas faire à dîner. Mais elle
      disait que c'était toujours d'accord pour le mah-
      jong après dîner.
      (avant / [relation] / jour / à partir de / maladie /
      c'était / il paraît que) (pour cette raison /
      [familiarité]-cuisine / [annonce] / ne pas pouvoir
      fabriquer / être devenu / il paraît que) (pourtant /
      après dîner / [temps] / faire / mah-jong /
      [annonce] / sans empêchement / c'est / [citation]
      / dire / c'est que)

13   Avec elle c'est toujours comme ça, mais comme
      c'est une personne très chaleureuse, elle a
      beaucoup d'amis.
      (Manolita / [annonce] / toujours / ce / manière
      d'être / c'est / mais // très / être chaleureux /
      être humain / c'est / parce que // ami / [sujet] /
      beaucoup / se trouver)

14   Je vous la présenterai à la prochaine occasion.
      (prochaine fois / présentation-faire)

NOTES (suite)
(3) だった *datta,* degré moins équivalent à でした
deshita ''c'était''.

乗った こと が あります か。
notta koto ga arimasu ka

2. この 建物 だけ 倉庫 です。他 の
   kono tatemono dake sôko desu. hoka no

   建物 は 皆 事務所 です。
   tatemono wa minna jimusho desu

3. 仕事 が いそがしい のに 山 へ
   shigoto ga isogashii noni yama e

   行く の です か。
   iku no desu ka

4. 簡単(かんたん) な ので すぐ できました。
kantan na node sugu dekimashita

5. 雨(あめ) が 降(ふ)って いる そう です。
ame ga futte iru sô desu

…に 言葉(ことば) を 入(い)れ なさい。
... ni kotoba o ire nasai

1. *Avez-vous déjà mangé de la cuisine japonaise ?*

. . . .

2. *Hier j'ai rencontré ton ami américain.*

kinô anata no . . . .

. . aimashita

3. *Ils ont deux enfants.*

. . . . . . ga . . . .

****

第四十二課(だいよんじゅうにか) まとめ

dai yon jû ni ka **ma to me**

1. Alors, ça s'est bien passé sans la prononciation figurée ! Ce n'était pas si compliqué ! Nous allons encore faire un pas de plus, pour simplifier. Vous avez bien remarqué que dans la très grande majorité des cas, le u de la transcription officielle se prononce près de notre "ou". Nous n'indiquerons donc plus désormais que les cas où il se prononce autrement ! Soit comme notre "u", soit quand il n'est pas prononcé.

Exercices

1. Etes-vous déjà monté dans un autobus anglais à deux étages ?
2. Seul ce bâtiment est un entrepôt. Tous les autres sont des bureaux.
3. Irez-vous à la montagne bien que vous soyez si occupé ?
4. Comme c'est facile, j'ai réussi tout de suite.
5. Il paraît qu'il pleut.

━━━━━━━━

4. *Il paraît que dans la montagne il y a des ours.*

. . .   . . . , ...

5. *Comme j'adore ça, j'ai tout acheté.*

. . . . , ...

Réponses : 1. nihon ryôri o tabeta koto ga arimasu ka. 2. - amerikajin no tomodachi ni -. 3. kodomo - futari imasu. 4. yama ni kuma ga iru sô desu. 5. daisuki na node, zenbu kaimashita.

****

Révision et notes　　　**Quarante-deuxième leçon**
　　　　　　　　　　　(ième / quatre-dix-deux / leçon)

2. Cela fait longtemps que nous n'avons pas parlé d'**écriture**. Or, il y a un phénomène un peu spécial à signaler à propos des kanji. Vous avez vu déjà qu'à chaque kanji correspondent une, deux, parfois trois syllabes. Et quand il y a un mot composé, on peut dire avec précision quelle(s) syllabe(s) correspond(ent) à quel kanji.

Par exemple : 建物 *tatemono* "bâtiment", 建 correspond à *tate* ("construire") et 物 à *mono* ("chose"). Mais... (il y a

Leçon 42

toujours quelque mais...), dans certains cas, on a deux kanji auxquelles correspondent une ou plusieurs syllabes, sans que l'on puisse dire à quel kanji correspond quelle syllabe. L'équivalence est globale. Nous avons ce cas pour trois mots très usuels : "aujourd'hui" (cf. leçon 11, phrase 6 et leçon 16, phrase 1) : 今日 c'est l'ensemble des deux kanji qui se prononce *kyô*. "hier" (cf. leçon 8, phrase 1 ; leçon 12, phrase 13) 昨日 c'est l'ensemble des deux kanji qui se prononce *kinô* sans que l'on puisse couper. De même "demain" (cf. leçon 2, phrase 7) 明日 c'est l'ensemble des deux kanji qui se prononce *ashita,* sans coupure possible. Le même phénomène se retrouve dans nombre de termes de parenté : 伯父 *oji* "mon oncle" (leçon 32, phrase 1), お祖父さん *ojiisan* "grand-père", お祖母さん *obaasan* "grand-mère" (leçon 39, phrase 1).

3. Dans toutes les langues, il y a quelques mots décisifs. En japonais こと *koto* en est un. Son sens est difficile à définir, à peu près "chose, événement, fait, élément...". En tous cas, ce *koto* sert pour des constructions usuelles indispensables, sous la forme : un verbe + こと *koto* + une particule + un autre verbe. Nous avons vu les plus importantes.

Il est temps de les récapituler :

... こと に します(する) *koto ni shimasu (suru)* (littéralement : le fait de / [but] / faire), "décider de" (cf. leçon 32, phrase 3 ; leçon 37, phrase 7).

... こと に なります (なる) *koto ni narimasu (naru)* (littéralement : le fait de /[but]/ devenir), "en arriver à ce que" (cf. leçon 32, phrase 12 ; leçon 36, phrase 8).

... こと が できます (できる) *koto ga dekimasu (de-kiru)* (littéralement : le fait de / [sujet] / être possible), "pouvoir" et la négation correspondante (cf. leçon 34, phrase 14 ; leçon 39, phrase 12).

Verbe   au   degré   moins   en   *u*   +

こと が あります（ある）*koto ga arimasu (aru)* (littéralement : le fait de /[sujet]/ se trouver), "il arrive que" et la négation correspondante (cf. leçon 36, phrase 3). A ne pas confondre avec : verbe au degré moins terminé par *ta* + こと が あります（ある）*koto ga arimasu (aru)*, "avoir déjà eu l'occasion de" (cf. leçon 41, phrases 1 et 2).

Autre construction : ... こと は *koto wa* + adjectif "il est... de" (cf. leçon 32, phrase 6 ; leçon 36, phrase 14). Nous trouvons encore leçon 38, phrase 3 : ... と いう こと です *to iu koto desu*, ou leçon 38, phrase 9 : ... の こと です *no koto desu*, pour renforcer une explication.

4. Nous finirons notre leçon de révision par un petit tour... ou plutôt un grand tour, du côté des **verbes**. Vous avez vous-même constaté que chaque verbe ne présentait pas un si grand nombre de formes ! (Inutile de rappeler les dizaines de pages de conjugaisons de nos verbes français dans n'importe quelle grammaire !...) Il est tout de même important de savoir comment construire ces formes pour chaque verbe. C'est ce que nous allons commencer à voir aujourd'hui.

Une énorme quantité de verbes sont formés d'un nom d'origine chinoise comportant en général deux kanji, et du verbe japonais します *shimasu* (degré moyen), する *suru* (degré moins), qui veut dire "faire". Nous en avons rencontré déjà beaucoup, nous allons les retrouver, et nous les citerons au degré moins du présent-futur.

Leçon 15, phrase 3, et leçon 25, phrase 8 : 結婚する *kekkon suru* (mariage-faire) "se marier". Leçon 15, phrase 9 : 再婚する *saikon suru* (remariage-faire) "se remarier". Leçon 20, phrase 12 : 禁煙する *kin.en suru* (arrêt de fumer-faire) "s'arrêter de fumer". Leçon 23, phrase 2 : 卒業する *sotsugyô suru* (diplôme-faire) "être diplômé" ; phrase 9 : 入院する *nyû.in suru* (entrée à l'hôpital-faire) "entrer à l'hôpital" ; phrase 13 : 退院する *tai.in suru* (sortie de l'hôpital / faire) "sortir de l'hôpital" ; phrase 14 : 安心する *anshin suru* (tranquillité-faire) "être rassuré". Leçon 25, phrase 4 : 出版する *shuppan suru* (publication-faire) "publier". Leçon 27, phrase 12 : 心配する *shinpai suru* (inquiétude-faire) "s'inquiéter". Leçon 32, phrase 1 : 出発する *shuppatsu suru* (départ-faire) "partir" ; phrase 9 : 旅行する *ryokô suru* (voyage-faire) "voyager". Leçon 34, phrase 13 : 入居する *nyûkyo* (entrée dans la maison-faire) "prendre possession des lieux". Leçon 38, phrase 1 : 説明する *setsumei suru* (explication-faire) "expliquer" ; phrase 12 : 入学する *nyûgaku suru* (entrée à l'école-faire) "entrer dans une école ou une université". Leçon 40, phrase 2 : 案内する *annai suru* (guidage-faire) "guider". Leçon 41, phrase 8 : 作曲する *sakkyoku suru* (composition-faire) "composer" ; phrase 10 : ごちそうする *gochisô suru* (régal-faire) "régaler, préparer un repas" ; phrase 14 : 紹介する *shôkai suru* (présentation faire) "présenter".

Cela fait une longue énumération, et il y en a comme ça des centaines. Gros avantage : tous les noms utilisés peuvent servir tels quels dans n'importe quelle phrase ; et il suffit de connaître un seul verbe : する *suru*, pour pouvoir utiliser des centaines de verbes ainsi formés. Or する *suru* c'est simple : à part le degré moins する *suru*, toutes les autres formes sont construites sur une base qui est し *shi*. Donc : "je (tu...) fais" : する *suru* (degré moins), します *shimasu* (degré moyen) ; "je ne fais pas" : しない *shinai* (degré moins), しません *shimasen* (degré moyen) ; "j'ai fait (tu, il...)" : した *shita* (degré moins),

****

しました *shimashita* (degré moyen) ; "je n'ai pas fait" : しなかった *shinakatta* (degré moins), しません でした *shimasen deshita* (degré moyen).

Et pour la série des formes indiquant que l'on est en train de faire l'action : "je suis en train de faire : して いる *shite iru* (degré moins), して います *shite imasu* (degré moyen) ; "je ne suis pas en train de faire" : して いない *shite inai* (degré moins), して いません *shite imasen* (degré moyen) ; "j'étais en train de faire" : して いた *shite ita* (degré moins), して いました *shite imashita* (degré moyen). Formes qui vous sont déjà presque toutes familières. Et finalement qu'est-ce qui se passe ? Il y a une base し *shi,* et le changement de formes consiste à ajouter à cette base différents suffixes. C'est un principe à bien retenir car c'est ainsi que l'on procède pour tous les verbes, et, **pour tous les verbes les suffixes sont les mêmes.** Seule petite difficulté, quelquefois pour un même verbe il y a des bases différentes selon les suffixes. Mais n'allons pas trop vite. Nous verrons cela à la prochaine leçon de révision. Rien ne vous empêche, cependant, d'observer sous cet angle les verbes qui apparaîtront dans les prochaines leçons !...

5. Quelques remarques sur certains verbes : le verbe 聞く *kiku* veut dire, soit "écouter" (cf. leçon 29, phrase 8), soit "demander, interroger" (cf. leçon 39, phrase 4). Le verbe できる *dekiru* a aussi deux sens bien différents. Le premier, c'est "être possible" (cf. leçon 13, phrase 9 ; leçon 18, phrase 12 ; leçon 26, phrases 2, 3, 4 ; leçon 30, phrase 6 ; leçon 34, phrase 14). Le second "se produire, se former" (cf. leçon 40, phrases 5 et 12).

****

第四十三課
だい よん じゅう さん か
dai yon jû san ka

S.F.
esu efu

1 －あさって 映画 を 見 に 行きます。
a sa tte　ei ga　o　mi　ni　i ki ma su

2 －どんな 映画 を 見る の です か。
do n na　ei ga　o　mi ru　no　de su　ka

3 －僕 は S.F. が 大好き です。
boku　wa　esu efu　ga　dai su ki　de su

4 あさって 見 に 行こう と 思って
a sa tte　mi　ni　i kô　to　o mo tte

いる 映画 は「宇宙 冒険」 と
i ru　ei ga　wa　u chû　bô ken　to

いいます。(1)
i i ma su

5 －僕 は もう 見ました。 おもしろい
boku　wa　mô　mi ma shi ta.　o mo shi ro i

です よ。
de su　yo

6 それ は 二千 五百 六 年 に
so re　wa　ni sen　go hyaku　roku　nen　ni

起こる 物語 です。
o ko ru　mono gatari de su

*****

La science-fiction   **Quarante-troisième leçon**
                           (ième / quatre-dix-trois / leçon)

1 — Après-demain je vais au cinéma.
    (après-demain / cinéma / [objet] / regarder / [but]
    / aller)

2 — Quel genre de film vas-tu voir ?
    (quelle sorte / film / [objet] / regarder / c'est que
    / [question])

3 — J'adore la science-fiction.
    (moi / [annonce] / science-fiction / [sujet] / être
    très aimé / c'est)

4   Le film que je pense aller voir après-demain
    s'appelle ''Aventure dans l'espace''.
    (après-demain / regarder / [but] / allons /
    [citation] / penser / film / [annonce] / univers-
    aventure / [citation] / dire)

5 — Je l'ai vu. C'est bien !
    (moi / [annonce] / déjà / avoir regardé) (être
    intéressant / c'est / [engagement])

6   C'est une histoire qui se passe en l'an 2506.
    (cela / [annonce] / deux mille-cinq cent-six-an /
    [temps] / se produire / histoire / c'est)

NOTES
(1) 行こう *ikô*, ''allons'', degré moins correspondant à
行きましょう *ikimashô*. Le degré moins est obligatoire
devant と 思って いる **to** *omotte iru* (cf. leçon 28,
paragraphe 4).

*****

7 地球 の ロケット の 出発点
chi kyû no ro ke t to no shup patsu ten

は 月 です。
wa tsuki de su

8 そして 他 の 星 と 惑星
so shi te hoka no hoshi to waku sei

へ そこ から 飛び立つ の です。
e so ko ka ra to bi ta tsu no de su

9 でも 宇宙 の 果て から 地球
de mo u chû no ha te ka ra chi kyû

を 侵略 する 悪者 が 出て
o shin ryaku su ru waru mono ga de te

きます。
ki ma su

10 ヒーロー は 地球 の 安全 を
hî rô wa chi kyû no an zen o

守る ため に、宇宙 の 彼方
mamo ru ta me ni, u chû no kanata

まで 冒険 に 行く の です。
ma de bô ken ni i ku no de su

11 そして 敵国 の 悪者 の
so shi te teki koku no waru mono no

妹 に 恋 を する の です。
imôto ni koi o su ru no de su.

最後 は ハッピ・エンド です。
sai go wa ha p pi e n do de su

7   Le point de départ des fusées terrestres est la
lune.
(globe terrestre / [relation] / fusée / [relation] /
point de départ / [annonce] / lune / c'est)

8   C'est de là qu'on décolle pour les autres étoiles et
planètes.
(puis / autre / [relation] / étoile / et / planète /
[destination] / là / à partir de / décoller / c'est
que)

9   Mais, de l'extrémité de l'univers, surgit un
méchant qui envahit la terre.
(mais / univers / [relation] / extrémité / à partir de
/ globe terrestre / [objet] / invasion-faire /
méchante personne / [sujet] / apparaître / venir)

僕 は SF が 大好き です。

10   Le héros, pour sauver la terre, part à l'aventure à
l'autre bout de l'univers.
(héros / [annonce] / globe terrestre / [relation] /
sécurité / [objet] / conserver / afin de // univers /
[relation] / lointain / jusque / aventure / [but] /
aller / c'est que)

11   Puis il tombe amoureux de la jeune sœur du
méchant du pays ennemi. Et tout finit bien.
(puis / pays ennemi / [relation] / méchante
personne / [relation] / sœur cadette / [but] /
amour / [objet] / faire / c'est que) (fin / [annonce]
/ happy end / c'est)

Leçon 43

12 -それなら 宇宙 冒険 で は
so re na ra u chû bô ken de wa

ありません ね。恋 の 冒険
a ri ma se n ne . koi˙ no bô ken

です ね。
de su ne

13 話 の 内容 を 全部 聞いて
hanashi no nai yô o zen bu ki i te

しまった ので もう 見に 行く
shi ma t ta no de mô mi ni i ku

気が しません。僕 に は、恋
ki ga shi ma se n. boku ni wa, koi˙

の 冒険 なんて 興味 が
no bô ken na n te kyô mi ga

ありません。
a ri ma se n

発音
はつおん

hatsu.on

4. outchuu **7.** tchikyuu **8.** ouakousseill′ **11.** koï ... saill′go
13. naill′yoo.

───────

練習
れんしゅう

renshû

1. 来年 の 春 アパート を 買おう と
rainen no haru apâto o kaô to

思って います。
omotte imasu

12 — Dans ces conditions ce n'est pas l'aventure dans l'espace. C'est l'aventure de l'amour !
(dans ces conditions / univers-aventure / ce n'est pas / [accord]) (amour / [relation] / aventure / c'est / [accord])

13 Comme j'ai entendu toute l'histoire, je n'ai plus envie d'aller le voir. Moi, l'aventure de l'amour, ça ne m'intéresse pas.
(histoire / [relation] / contenu / [objet] / tout entier / entendre / faire jusqu'au bout / parce que // désormais / regarder / [but] / aller / esprit / [sujet] / ne pas faire) (moi / [attribution] / [renforcement] / amour / [relation] / aventure / ce qu'on appelle / intérêt / [sujet] / ne pas se trouver)

---

2. このごろ は とても いそがしい です
konogoro wa totemo isogashii desu

から もう 旅行 に 行く 気 が
kara mô ryokô ni iku ki ga

しません。
shimasen

3. 自動車 を 作る ために 工場 を
jidôsha o tsukuru tame ni kôjô o

建てます。
tatemasu

4. パン を 作る ために 小麦 を
pan o tsukuru tame ni komugi o

使います。
tsukaimasu

*****

5. それなら 先生（せんせい） も S.F. に 興味（きょうみ）
   sorenara sensei mo esu efu ni kyômi

   が ある でしょう。
   ga aru deshô

   ───────

…に 言葉（ことば） を 入れ（い） なさい。

... ni kotoba o ire nasai

1. *Vous aimez quelle sorte de chanson ?*

   . . . . . uta . . . .

2. *J'ai acheté un livre qui a l'air intéressant.*

   . . . . hon . . . .

3. *Il a pour titre : ''Départ pour les étoiles''.*

   . . . .

****
第四十四課（だいよんじゅうよんか）　　　　ホテル
dai yon jû yon ka　　　　　　　　**ho te ru**

1 -おはよう ございます。 プリンス・
   o ha yô go za i ma su. pu ri n su.

   ホテル で ございます。(1)
   ho te ru de go za i ma su

NOTES
(1) で ございます *de gozaimasu*. Petit retour en arrière.
Reportons-nous à la leçon 21, paragraphe 4. Voici notre
premier spécimen de degré plus d'un verbe. Pour les

Exercices

1. Je pense acheter un appartement au printemps de l'année prochaine.
2. Comme je suis très occupé ces temps-ci, je n'ai plus envie de partir en voyage.
3. Pour fabriquer des voitures, on bâtit des usines.
4. On utilise du blé pour faire le pain.
5. Dans ces conditions, vous aussi, M. le professeur, vous vous intéressez à la science-fiction.

4. *Il a 1 298 pages.*

. . . . pêji ga . . . .

5. *Vous intéressez-vous au tennis ?*

. . . .

6. *Je l'ai déjà vu.*

. . . .

Réponses : 1. donna - ga suki desu ka. **2.** omoshirosô na - o kaimashita. **3.** hoshi e no shuppatsu to iimasu. **4.** sen ni hyaku kyû jû hachi - arimasu. **5.** tenisu ni kyômi ga arimasu ka. **6.** mô mimashita.

****

L'hôtel	**Quarante-quatrième leçon**
(hôtel)	(ième / quatre-dix-quatre / leçon)

1 — Bonjour. Prince-Hôtel, j'écoute.
  (Bonjour) (Prince-Hôtel / c'est)

verbes les plus usuels, le degré plus n'est pas une forme différente du même verbe, mais carrément un verbe différent. C'était le cas pour l'adjectif le plus employé : いい *ii* (cf. leçon 23, note 5).
で ございます *de gozaimasu* est un degré plus, correspondant à です *desu* "c'est", si l'on parle de soi ou de ses proches.

2 - 部屋 の 予約 を おねがい
he ya no yo yaku o o ne ga i

したい の です けれども…(2)
shi ta i no de su ke re do mo

3 - お 一人 さま です か。(3)
o hito ri sa ma de su ka

4 - いいえ、 家内 と 子供 が
i i e, ka nai to ko do mo ga

二人 います。
futa ri i ma su

5 - 大人 二人、 子供 二人 全部
otona futa ri, ko do mo futa ri zen bu

で 四名 さま です ね。 ご 滞在
de yon mei sa ma de su ne. go tai zai

は いつ まで です か。
wa i tsu ma de de su ka

6 - 来月 の 十二日 から 十五日
rai getsu no jû ni nichi ka ra jû go nichi

まで おねがい したい の です が…
ma de o ne ga i shi ta i no de su ga

7 - 来月 は 大変 混んで おります
rai getsu wa tai hen ko n de o ri ma su

ので、 ちょっと 離れた 二部屋
no de, cho t to hana re ta futa he ya

です が、よろしい でしょう か。(4) (5)
de su ga, yo ro shi i de shô ka

2 — Je voudrais réserver une chambre...
(chambre / [relation] / réservation / [objet] /
demande-vouloir faire / c'est que / bien que)

3 — Pour une personne ?
([politesse]-une personne-M. / c'est / [question])

4 — Non, il y a ma femme et mes deux enfants.
(non / mon épouse / et / enfant / [sujet] / deux
personnes / se trouver)

5 — Deux adultes et deux enfants, en tout cela fait
quatre personnes. Vous restez jusqu'à quand ?
(adulte / deux personnes / enfant / deux
personnes / total / [moyen] / quatre personnes-
M. / c'est / [accord]) ([politesse]-séjour / [an-
nonce] / quand / jusque / c'est / [question])

6 — Je voudrais réserver pour le mois prochain, du 12
au 15.
(mois prochain / [relation] / dix-deux-jour / à
partir de / dix-cinq-jour / jusque / demande-
vouloir faire / c'est que / mais)

7 — Le mois prochain nous avons beaucoup de
monde, est-ce que deux chambres un peu
éloignées vous conviendraient ?
(mois prochain / [renforcement] / terriblement /
être encombré / parce que // un peu / être
éloigné / deux-chambres / c'est / mais // être
bien / vous pensez que / [question])

NOTES (suite)

(2) けれども *keredomo*, à la fin d'une proposition veut
dire "bien que" ; mais on l'emploie aussi, comme ici, avec
un sens tout à fait affaibli, comme "mais" en français,
quand nous disons "excusez-moi mais..." (cf. aussi leçon
40, phrase 7).

(3) お 一人 さま *o hitori sama*. "Une seule personne"
se dit 一人 *hitori*. Le お *o* et le さま *sama* sont là pour
marquer la politesse (cf. aussi phrase 5).

(4) おります *orimasu*, degré plus correspondant à
います *imasu*, si l'on parle de soi ou de ses proches.

(5) よろしい *yoroshii*, cf. leçon 23, note 5.

8 -同じ 階 です か。
ona ji kai de su ka

9 -はい、そう で ございます。(6)
ha i, sô de go za i ma su

10 -よろしく おねがい します。
yo ro shi ku o ne ga i shi ma su

11 -チェック・イン の 時間 は 正午
che k ku i n no ji kan wa shô go

から で ございます。(1)
ka ra de go za i ma su

12 -(妻 に) 部屋 の 予約 を したよ。
(tsuma ni) he ya no yo yaku o shi ta yo.

ちょっと 離れて いる 部屋 だ
cho t to hana re te i ru he ya da

けど 同じ フロア だって。(7) (8)
ke do ona ji fu ro a da t te

13 -それじゃ、仕方 が ない わ ね。
so re ja, shi kata ga na i wa ne.

まあ、いい わ。
ma a, i i wa

発音

hatsu.on

1. p'linss'hotèlou **2.** onégaï shitaill' **4.** f'tali **5.** yon.n'meill'
6. laill'gètsou **12.** f'loa.

8 — Sont-elles au même étage ?
   (même / étage / c'est / [question])

9 — Oui.
   (oui / ainsi / c'est)

10 — Bon, je compte sur vous.

11 — Vous pouvez arriver à partir de midi.
   (enregistrement / [relation] / heure / [annonce] /
   midi juste / à partir de / c'est)

12 — (à sa femme) J'ai fait les réservations. Elle a dit
   que ce sont des chambres un peu éloignées, mais
   qu'elles sont tout de même au même étage.
   (sa femme / [attribution]) (chambre / [relation] /
   réservation / [objet] / avoir fait / [engagement])
   (un peu / être éloigné / chambre / c'est / bien
   que // même / étage / elle a dit que)

13 — On n'y peut rien ! Bon, ça ira !
   (alors / possibilité d'agir / [sujet] / ne pas se
   trouver / [adoucissement] / [accord]) (Bon / être
   bien / [adoucissement])

NOTES (suite)

(6) そう で ございます *sô de gozaimasu,* cf. note 1.
Degré plus correspondant à そう です *sô desu* ''c'est
ça, oui''.

(7) けど *kedo,* forme abrégée de けれども *keredomo*
''bien que'', dans le langage très familier.

(8) だって *datte.* Dans le langage très familier, sert à
rapporter ce qu'a dit quelqu'un.

*****

練習
れんしゅう
renshû

1. もしもし 上原 で ございます。
   うえはら
   moshimoshi uehara de gozaimasu

2. 小さい バッグ しか ありません が、
   ちい
   chiisai baggu shika arimasen ga,

   よろしい でしょう か。
   yoroshii deshô ka

3. 二十一日 から 三十日 まで
   にじゅういちにち   さんじゅうにち
   ni jû ichi nichi kara san jû nichi made

   プリンス・ホテル に います。
   purinsu-hoteru ni imasu

4. 正午 に ホテル の 前 で 会いましょう。
   しょうご   まえ あ
   shôgo ni hoteru no mae de aimashô

5. 切符 を 三 枚 おねがい したい の
   きっぷ さん まい
   kippu o san mai o negai shitai no

   です けれども…
   desu keredomo...

…に 言葉 を 入れ なさい。
    ことば い
... ni kotoba o ire nasai

1. *Les congés sont du 23 au 26.*

. . . . kara

. . . . made desu

2. *Nous sommes deux.*

. . . .

Exercices

1. Allo, ici M. UEHARA.
2. Nous n'avons que des petits sacs, est-ce que cela vous conviendrait ?
3. Du 21 au 30 je serai au Prince-Hôtel.
4. Retrouvons-nous à midi devant l'hôtel.
5. Je voudrais trois billets s'il vous plaît...

---

3. *On n'y peut rien !*

. . . . desu ne

4. *A partir du mois prochain, je ne travaille que l'après-midi.*

. . . . wa . . . .

. . . .

5. *Comme nous avons réservé dans le même hôtel, partons ensemble !*

. . . . ni . . . . ,

. . . . ikimashô

Réponses : 1. yasumi wa ni jû san nichi - ni jû roku nichi -. 2. futari desu. 3. shikata ga nai -. 4. raigetsu kara - gogo shika hatarakimasen. 5. onaji hoteru - yoyaku shita node, isshô ni -.

第四十五課
だい よんじゅう ご か
dai yon yû go ka

銀行
ぎんこう
gin kô

1 ‐度々 日本 に 来る から、 口座
　 たびたび　にほん　　　　く　　　　　　こうざ
　 tabi tabi　ni hon　ni　kuru　kara,　kô za

　 を 開きたい の です が…
　　　ひら
　 o　hira ki ta i　no　de su　ga

2 口座 は 簡単 に 開く こと が
　 こうざ　　　かんたん　　ひら
　 kô za　wa　kan tan　ni　hira ku　ko to　ga

　 できます か。(1)
　 de ki ma su　ka

3 ‐はい。 普通 口座 なら、 外国人
　　　　　ふつう　こうざ　　　　　がいこくじん
　 ha i.　fu tsû　kô za　na ra,　gai koku jin

　 でも 開く こと が できます。
　　　　ひら
　 de mo　hira ku　ko to　ga　de ki ma su

4 ‐それでは、 私 も 口座 を
　　　　　　　わたくし　　こうざ
　 so re de wa,　watakushi mo　kô za　o

　 開きましょう。
　 ひら
　 hira ki ma　shô

5 後 二日 で カナダ へ 帰ります。
　 あと　ふつか　　　　　　　　かえ
　 ato　futsu ka　de　ka na da　e　kae ri ma su

6 帰国 の 前 に、 残った 日本
　 きこく　　　まえ　　　のこ　　　にほん
　 ki koku　no　mae　ni,　noko t ta　ni hon

　 円 を 預けて いく こと に
　 えん　　　あず
　 en　o　azu ke te　i ku　ko to　ni

　 します。(2)
　 shi ma su

La banque   **Quarante-cinquième leçon**
(banque)   (ième / quatre-dix-cinq / leçon)

1 — Comme je viens souvent au Japon, je voudrais ouvrir un compte.
(souvent / Japon / [lieu] / venir / parce que // compte bancaire / [objet] / vouloir ouvrir / c'est que / mais)

2   Est-ce qu'on peut facilement ouvrir un compte ?
(compte bancaire / [annonce] / facile / [adverbial] / ouvrir / le fait de / [sujet] / être possible / [question])

3 — Oui. S'il s'agit d'un compte courant, même un étranger peut en ouvrir un.
(oui) (courant-compte / s'il s'agit de / étranger / même / ouvrir / le fait de / [sujet] / être possible)

4 — Alors je vais en ouvrir un.
(alors / moi / aussi / compte / [objet] / ouvrons)

5   Dans deux jours je rentre au Canada.
(après-deux jours / [temps] / Canada / destination] / revenir)

6   Avant mon retour, je veux déposer les yen qui me restent.
(retour au pays / [relation] / avant / [temps] / être resté / Japon-yen / [objet] / confier / aller / le fait de / [objet] / faire)

NOTES
(1) Cf. leçon 42, paragraphe 3.
(2) Cf. leçon 42, paragraphe 3.

*****

7 -普通 口座 でも 利子 が
fu tsû   kô za   de mo   ri shi   ga

つきます から、 来年 の 冬 また
tsu ki ma su   ka ra,   rai nen no fuyu   ma ta

日本 に 遊び に 来る 時、
ni hon   ni   aso bi   ni   ku ru   toki,

お 金 が 増えて います。(3)
o   kane   ga   fu e te   i ma su

8 じゃ、 明日 一時半 に 銀行
ja,   ashita   ichi ji han   ni   gin kô

の 前 で 会いましょう。
no   mae   de   a i ma shô

翌日、 銀行 の 前 で。
yoku jitsu,   gin kô   no   mae   de

9 -予定外 の 買物 を した ので、
yo tei gai   no   kai mono   o   shi ta   no de,

お 財布 が 空っぽ に なって
o   sai fu   ga   kara p po   ni   na t te

しまいました。
shi ma i ma shi ta

10 だから 口座 を 開く こと が
da ka ra   kô za   o   hira ku   ko to   ga

できなく なりました。
de ki na ku   na ri ma shi ta

*****

7 — Comme il y a des intérêts même sur un compte courant, lorsque vous reviendrez en vacances au Japon l'hiver prochain, votre argent se sera augmenté.
(courant-compte / même / intérêts / [sujet] / être attaché / parce que // année prochaine / [relation] / hiver / de nouveau / Japon / [lieu] / s'amuser / [but] / venir / moment // [familiarité]-argent / ´[sujet] / augmenter)

8 Bon, alors rendez-vous demain à une heure et demie devant la banque.
(bon / demain / un-heure-demi / [temps] / banque / [relation] / devant / [lieu] / retrouvons-nous)

Le lendemain, devant la banque.
(lendemain / banque / [relation] / devant / [lieu])

9 — J'ai fait des achats imprévus, et mon porte-monnaie est désespérément vide !
(imprévu / [relation] / achat / [objet] / avoir fait / parce que // [familiarité]-porte-monnaie / [sujet] / complètement vide / [but] / devenir / avoir fait jusqu'au bout)

10 Donc je ne peux plus ouvrir de compte.
(donc / compte / [objet] / ouvrir / le fait de / [sujet] / ne pas être possible / être devenu)

NOTES (suite)

(3) 遊ぶ *asobu.* Ce verbe est l'opposé de 働く *hataraku* "travailler". Il désigne donc tout ce qui n'est pas du travail.

*****

11 それに 空港 まで の バス代
so re ni　kû kô　ma de　no　ba su dai

も　なく　なって　しまいました。
mo　na ku　na t te　shi ma i ma shi ta

12 空港 で は 飛行場 使用料
kû kô　de　wa　hi kô jô　shi yô ryô

も 払わなければ なりません。
mo　hara wa na ke re ba　na ri ma se n

13 こんな お 願いで 悪い けれど、
ko n na　o nega i de　waru i　ke re do,

一万円 貸して くれません か。(4)
ichi man en ka shi te　ku re ma se n　ka

発音
hatsu.on
3. gaill'kokou **9.** yoteill'gaill' ... saill'fou **11.** bassoudaill'.

練習
renshû

1. 一緒 に 行った 方 が いい です。
isho ni itta hô ga ii desu

2. カナダ人 の 友達 から もらった
kanadajin no tomodachi kara moratta

お 酒 は 全部 飲んで しまいました。
o sake wa zenbu nonde shimaimashita

3. 山口 さん の ところ へ 度々 遊び
yamaguchi san no tokoro e tabitabi asobi

11 En plus, je n'ai même plus de quoi payer le bus pour aller à l'aéroport !
(de plus / aéroport / jusque / [relation] / prix du ticket de bus / aussi / disparaître / avoir fait jusqu'au bout)

12 Et là-bas, il faut payer la taxe d'aéroport !
(aéroport / [lieu] / [renforcement] / taxe d'aéroport / aussi / il faut payer)

13 C'est vraiment mal de ma part, mais ne pourriez-vous pas me prêter 10.000 yen ?
(de cette sorte / [politesse]-demande / [moyen] / être mauvais / bien que // un-10.000-yen / prêter / ne pas faire pour moi / [question])

NOTES (suite)

(4) けれど *keredo*. Encore une autre abréviation de けれども *keredomo* "bien que", dans le langage familier (cf. leçon 44, note 7)

後 二日 で カナダ へ 帰ります。

45

___

に 行きます。
ni ikimasu

4. そんな に 簡単 な 料理 なら 子供
sonna ni kantan na ryôri nara kodomo

でも できます。
demo dekimasu

Leçon 45

5. 遠い です けれども、 ぜひ 行きたい
とおい
tooi desu keredomo, zehi ikitai

と 思います。
おも
to omoimasu

───────────

…に 言葉 を 入れ なさい。
ことば
... ni kotoba o ire nasai

1. *Venez nous voir un de ces jours !*

zehi . . . . kite kudasai

2. *Je me décide à ouvrir un compte.*

. . . .

3. *Bien que ce soit encore un enfant, il s'intéresse à l'opéra.*

mada . . . . , ...

. . . .

****

第四十六課
だい よんじゅうろっか
dai yon jû rok ka

医者
いしゃ
i sha

1 -あなた が 胃 が 痛い と 言って
い いた い
a na ta ga i ga ita i to i t te

いました ので、 私 が 知って
わたし し
i ma shi ta no de, watashi ga shi t te

いる お 医者 さま に 予約 を
いしゃ よやく
i ru o i sha sa ma ni yo yaku o

取りました。(1)
と
to ri ma shi ta

Exercices

1. Il vaut mieux que j'aille avec vous.
2. J'ai entièrement bu l'alcool que m'avait donné mon ami canadien.
3. Je vais souvent chez les Yamaguchi.
4. Une recette aussi facile, même les enfants peuvent la réussir !
5. Bien que ce soit loin, je veux absolument y aller.

————————

4. *Je veux encore y réfléchir un peu.*

mô chotto shirabe . . . . . . omoimasu

5. *Quand vous reviendrez l'hiver prochain, je vous le présenterai.*

mata . . . . kuru . . . . ,

. . . .

Réponses : 1. - asobi ni -. 2. kôza o hiraku koto ni shimasu. 3. - kodomo desu keredomo opera ni kyômi ga arimasu. 4. - tai to -. 5. - rainen no fuyu - toki, shôkai shimasu.

****

Chez le médecin (médecin)   Quarante-sixième leçon (ième / quatre-dix-six / leçon)

1 — Puisque tu me disais avoir mal à l'estomac, je t'ai pris un rendez-vous chez un médecin que je connais.
(toi / [sujet] / estomac / [sujet] / être douloureux / [citation] / avoir dit / parce que // moi / [sujet] / connaître / [politesse]-médecin-M. / [lieu] / rendez-vous / [objet] / avoir pris)

NOTES
(1) お 医者 さま *o isha sama,* cf. leçon 44, note 3.

Leçon 46

2 -ありがとう ございます。胃潰瘍
a ri ga tô   go za i ma su.   i kai yô

で は ない か と 心配 して
de wa na i ka to shin pai shi te

います。(2)
i ma su

3 -それ は 早く お 医者 さん へ
so re wa haya ku o i sha san e

行った 方 が いい です ね。
i t ta hô ga i i de su ne

4 このごろ は 胃潰瘍 でも 早く
ko no go ro wa i kai yô de mo haya ku

治療 する と、問題 なく 直る
chi ryô su ru to, mon dai na ku nao ru

そう です から。
sô de su ka ra

5 -それで 予約 は いつ です か。
so re de yo yaku wa i tsu de su ka

6 -再来週 の 水曜日 の 午後
sa rai shû no sui yô bi no go go

四時 十五分 前 です。(3)
yo ji jû go fun mae de su

*****

2 — Merci beaucoup. Je m'inquiète, peut-être est-ce un ulcère ?
(merci beaucoup) (estomac-ulcère / ce n'est pas / [question] / [citation] / inquiétude-faire)

3 — Il vaut mieux aller vite chez un médecin !
(ceci / [annonce] / vite / [politesse]-médecin-M. / [destination] / être allé / côté / [sujet] / être bien / c'est / [accord])

4 Il paraît que maintenant même un ulcère à l'estomac guérit sans problème si on le soigne vite.
(ces temps-ci / [renforcement] / estomac-ulcère / même / vite / soin-faire / lorsque // sans problème / guérir / il paraît que / parce que)

5 — Et le rendez-vous est pour quand ?
(et / rendez-vous / [annonce] / quand / c'est / [question])

6 — Mercredi en quinze, l'après-midi à quatre heures moins le quart.
(semaine après la semaine prochaine / [relation] / mercredi / [relation] / après-midi / quatre heures-quinze minutes-avant / c'est)

NOTES (suite)

(2) Cf. leçon 36, note 6. 心配 する *shinpai suru* "s'inquiéter" est considéré comme un acte de pensée. Donc le contenu de cette inquiétude précédera ce verbe et sera relié avec lui par と *to*.
(3) 四時 *yo ji.* Eh oui, quand il s'agit de l'heure, "quatre" se dit よ *yo* et non よん *yon* (jetez un coup d'œil au numéro de la leçon !).

*****

びょういん
病 院
byô in

7 - お かけ 下さい。 どう
   o ka ke kuda sa i.   dô

   なさいました か。(4)
   na sa i ma shi ta ka

8 - 食後 一時間 ぐらい 経つ と、
   shoku go ichi ji kan gu ra i ta tsu to,

   胃 が じんと 痛く なります。
   i ga ji n to ita ku na ri ma su.

   胃潰瘍 で は ない でしょう か。(5)
   i kai yô de wa na i de shô ka

9 - ちょっと 見て みましょう。 舌
   cho t to mi te mi ma shô.   shita

   を 出して 下さい。 その ベッド
   o da shi te kuda sa i. so no be d do

   に 横 に なって 下さい。
   ni yoko ni na t te kuda sa i

10 ここ を 押す と、 痛い ですか。
   ko ko o o su to, ita i de su ka.

   - いいえ。
   - i i e

11 - ここ は？ - いいえ。 - ここ は？
   ko ko wa? i i e   ko ko wa?

   - いいえ。
   i i e

A l'hôpital.
(hôpital)

7 — Veuillez vous asseoir. Que se passe-t-il ?
(asseyez-vous) (comment / avoir fait / [question])

8 — Environ une heure après chaque repas, une profonde douleur me prend à l'estomac. Est-ce que ce ne serait pas un ulcère ?
(après le repas / un-heure-environ / s'écouler / lorsque // estomac / [sujet] / subitement et profondément / être douloureux / devenir) (ulcère / ce n'est pas / on peut penser / [question])

9 — Nous allons voir ça. Tirez la langue. Allongez-vous sur ce lit.
(un peu / regarder / faisons pour voir) (langue / [objet] / faites sortir) (ce / lit / [lieu] / flanc / [but] / devenez)

10 Quand j'appuie ici, vous avez mal ? - Non.
(ici / [objet] / presser / lorsque // être douloureux / c'est / [question]) (non)

11 — Ici ? - Non. - Ici ? - Non.

NOTES (suite)

(4) なさいました *nasaimashita*. Degré plus équivalent à しました *shimashita,* lorsque c'est l'interlocuteur qui est le sujet : "**vous** avez fait".

(5) じんと *jin to* (encore un de ces mots quasiment intraduisibles ; cf. leçon 39, note 5), qui évoquent toutes sortes d'impressions sensorielles ; ici, la manière dont se produit une douleur. On la ressent comme venant de très loin, et apparaissant tout à coup, assez forte. Allez traduire tout cela en un seul mot !

*****

Leçon 46

12 - 大丈夫 です。 わかりました。
だいじょうぶ
dai jô bu de su. wa ka ri ma shi ta.

何でも ありません。 ただ の
なん
nan de mo a ri ma se n. ta da no

食べすぎ です。
た
ta be su gi de su

13 一週間 ぐらい 胃 を 休ませる
いっしゅうかん い やす
is shû kan gu ra i i o yasu ma se ru

ため に、 少し 食物 を 控えて
すこ たべもの ひか
ta me ni, suko shi tabe mono o hika e te

下さい。
くだ
kuda sa i

14 -でも 今晩、 昇進 祝い に
こんばん しょうしん いわ
de mo kon ban, shô shin iwa i ni

フランス・レストラン に 行くこと
い
fu ra n su re su to ra n ni i ku ko to

に なって います が…
ni na t te i ma su ga

1. itaill' 2. chim'paill' 4. mon.n'daill' 6. salaill'chuu 7.
nasaïmach'ta 13. s'kochi 14. iouaï.

練習
れんしゅう
renshû

1. 事故 に 会った の では ない か
じこ あ
jiko ni atta no de wa nai ka

12 — Ce n'est pas grave. Je vois. Il n'y a rien. Un simple abus de nourriture.
(hors de danger / c'est) (avoir compris) (rien / ce n'est pas) (simple / [relation] / trop manger / c'est)

13 Vous diminuerez un peu la nourriture pendant huit jours pour faire reposer votre estomac.
(une semaine / environ / estomac / [objet] / faire reposer / afin de // un peu / aliments / [objet] / réfrénez)

14 — Mais ce soir, je dois aller dans un restaurant français pour fêter ma promotion...
(mais / ce soir / promotion-célébration / [but] / France-restaurant / [lieu] / aller / le fait de / [but] / devenir / mais)

(6) こと に なって います *koto ni natte imasu* (cf. leçon 42, paragraphe 3).

———

と 心配 して います。
と shinpai shite imasu

2. 足 が 痛い。
ashi ga itai

3. 三時 二十五分 前 に 工場 を
san ji ni jû go fun mae ni kôjô o

出ました。
demashita

4. お 誕生日 祝い に 芝居 を 見 に
o tanjôbi iwai ni shibai o mi ni

行きましょう。
ikimashô

5. 医者 の ところ へ 行く と、 いつも
isha no tokoro e iku to, itsumo

何か こわい です。
nanika kowai desu

…に 言葉 を 入れ なさい。
... ni kotoba o ire nasai

1. *Il dit qu'il a mal à l'oreille.*

. . . .

2. *Merci.*

. . . .

****

Exercices

1. Je suis inquiète : ils ont peut-être eu un accident.
2. J'ai mal au pied.
3. J'ai quitté l'usine à trois heures moins vingt-cinq.
4. Pour fêter ton anniversaire, allons au théâtre.
5. J'ai toujours un peu peur quand je vais chez le médecin.

---

3. *Nous arriverons à quatre heures moins le quart.*

. . . . tsukimasu

4. *Il vaut mieux acheter vite les billets.*

. . . . katta . . . .

5. *Il se trouve que moi aussi je vais chez le médecin cet après-midi.*

watakushi . . kyô no . . . . o . . . .

. . . . iku . . . . . . natte imasu

Réponses : 1. mimi ga itai to itte imasu. 2. arigatô gozaimasu. 3. yo ji jû go fun mae ni -. 4. kippu o hayaku - hô ga ii desu. 5. - mo - gogo - isha san no tokoro e - koto ni -.

****

第四十七課
だい よんじゅう なな か
dai yon jû nana ka

音楽
おん がく
on gaku

カクテル・パーティー で。
ka ku te ru   pâ tî   de

1 －何か お 飲み に なります か。
  なに   の
  nani ka o no mi ni na ri ma su ka.

  シャンペン は お 好き です か。(1)
                        す
  sha n pe n wa o su ki de su ka

2 加藤 さん から 音楽 が お
   か とう   おん がく
   ka tô sa n ka ra on gaku ga o

   好き だ と うかがいました が…(2)
   す
   su ki da to u ka ga i ma shi ta ga

3 －はい。 特 に クラシック 音楽
           とく   おん がく
   ha i. toku ni ku ra shi k ku on gaku

   が 好き です。
      す
   ga su ki de su

4 －何か 楽器 を なさいます か。
   なに がっき
   nâni ka gak ki o na sa i ma su ka

*****

La musique   **Quarante-septième leçon**
(musique)   (ième / quatre-dix-sept / leçon)

Dans un cocktail.
(cocktail / [lieu])

1 — Vous boirez quelque chose ? Aimez-vous le
champagne ?
(quelque chose / [politesse]-boire / [but] / devenir
/ [question]) (champagne / [annonce] / [poli-
tesse]-être aimé / c'est / [question])

2   J'ai appris de M. Katô que vous aimiez la
musique.
(Katô-M. / à partir de / musique / [sujet] /
[politesse]-être aimé / c'est / [citation] / avoir
entendu / mais)

3 — Oui. Surtout la musique classique.
(oui) (principalement / [adverbial] / classique-
musique / [sujet] / être aimé / c'est)

4 — Vous jouez d'un instrument ?
(quelque chose / instrument de musique / [objet]
/ faire / [question])

NOTES
(1) お 飲み に なります *o nomi ni narimasu.* Dans
la note 1 de la leçon 44, à propos du degré plus, nous
disions que pour certains verbes très usuels, le degré plus
consistait en un autre verbe. Mais, dans d'autres cas, ce
degré plus se forme à partir du verbe "normal", ici à partir
du verbe 飲む *nomu* "boire", qui se trouve encadré par
お *o* et par に なります *ni narimasu,* ces deux éléments
devenant alors la marque du degré plus, lorsque le sujet
est l'interlocuteur : "**vous** buvez". Sorte de degré plus
aussi, le お *o* devant 好き *suki* : "**vous** aimez".
(2) うかがいました *ukagaimashita,* degré plus correspondant à 聞きました *kikimashita,* si le sujet est "moi",
"**j'ai** entendu dire".

291

5 - はい。 オーボエ を 趣味 で
　　ha i.　ô bo e　o　shu mi de

やって います。
ya t te　i ma su

6 - もう どのぐらい なさって いる
　　mô　do no gu ra i　na sa t te　i ru

の です か。(3)
no　de su　ka

7 - 五 六 年 です。 高等学校 の
　　go roku nen de su.　kô tô gak kô　no

時 クラブ 活動 で 始めた の
toki　ku ra bu katsu dô de　haji me ta　no

が きっかけ です。(4)
ga　ki k ka ke　de su

8　卒業 して から なかなか 吹く
　 sotsu gyô shi te　ka ra　na ka na ka　fu ku

機会 が ありません。
ki kai　ga　a ri ma se n

9　ですから 最近 は 自分 で 吹く
　 de su ka ra　sai kin　wa　ji bun　de　fu ku

より、もっぱら レコード や カセット
yo ri, mo p pa ra　re kô do　ya　ka se t to

や ラジオ を 聞いて います。
ya　ra ji o　o　ki i te　i ma su

*****

5 — Oui. Je fais du hautbois dans mes loisirs.
(oui) (hautbois / [objet] / activité de loisir / [moyen] / faire)

6 — Vous en faites depuis combien de temps ?
(déjà / combien à peu près / faire / c'est que / [question])

7 — 5, 6 ans. Au départ, j'ai commencé cela comme une activité de club quand j'étais au lycée.
(cinq-six-an / c'est) (lycée / [relation] / moment / club-activité / [moyen] / avoir commencé / le fait de / [sujet] / occasion de départ / c'est)

8 Depuis que j'ai fini le lycée, je n'ai que peu d'occasions de jouer.
(fin des études-faire / depuis / difficilement / souffler / occasion / [sujet] / ne pas se trouver)

9 Alors, ces temps-ci, plutôt que de jouer de la musique, j'en écoute surtout, en disques, en cassettes ou à la radio.
(donc / ces temps-ci / [renforcement] / soi-même / [moyen] / souffler / plutôt que / surtout / disque / et / cassette / et / radio / [objet] / écouter)

NOTES (suite)

(3) なさって いる *nasatte iru*, cf. leçon 46, note 4 : "**vous** faites".

(4) 始めた の が *hajimeta* **no** *ga*. Nous connaissons こと *koto*, avec le sens de "le fait de + un verbe" dans les expressions que nous avons récapitulées à la leçon 42, par. 3. A part ces expressions, où c'est obligatoirement こと *koto* qu'on emploie, on trouve plutôt の *no*, avec ce sens de "le fait de". Ici, littéralement : "le fait d'avoir commencé comme activité de club a été à l'origine".

*****

10 家 に いる 時 は ラジオ を
　　ie　ni　i ru　toki　wa　ra ji o　o

つけっぱなし です。
tsu ke p pa na shi　de su

11 - 僕 の 家 に 音楽 好き の
　　boku no　ie　ni　on gaku zu ki　no

仲間 が 十二 人 ぐらい 日曜日
naka ma ga　jû ni　nin　gu ra i　nichi yô bi

に 隔週 で 集まります。
ni　kaku shû　de atsu ma ri ma su.

よろしかったら、 いらっしゃいません
yo ro shi ka t ta ra,　　i ra s sha i ma se n

か。(5) (6)
ka

12 - ぜひ 仲間 に 入れて 下さい。
　　ze hi　naka ma　ni　i re te　kuda sa i.

その 方 が 一人 で 練習
so no　hô　ga　hito ri　de　ren shû

する より 楽しい です。
suru　yo ri　tano shi i　de su

発音
hatsu.on
4. nasaïmass′ 5. chumi 8. kikaill′ 9. saill′kin′ 11.
kakouchuu ... ilachchaïmassèn′.

*****

10   Quand je suis chez moi, la radio est allumée en permanence.
      (maison / [lieu] / se trouver / moment / [renforcement] //radio/[objet]/laisser ouvert/c'est)

11 — Un dimanche sur deux, se réunissent chez moi une douzaine d'amis passionnés de musique. Si cela vous intéresse, pourquoi ne viendriez-vous pas ?
      (moi / [relation] / maison / [lieu] / musique-être aimé / [relation] / camarade / [sujet] / dix-deux-personnes-environ / dimanche / [temps] / une semaine sur deux / [moyen] / se rassembler) (si c'est bien / ne pas venir / [question])

12 — Si vous voulez bien m'accepter parmi vos amis. C'est plus agréable que de s'exercer tout seul !
      (absolument / ami / [lieu] / faites-moi entrer)(ce / côté / [sujet] / tout seul / exercice-faire / plutôt que / être agréable / c'est)

一人 で 練習 する より 楽しい です。

NOTES (suite)   47

(5) Pour compter les personnes : une personne, c'est 一人 *hitori,* (cf. leçon 44, phrase 3), deux personnes, c'est 二人 *futari* (cf. leçon 44, phrase 4). Mais à partir de trois c'est simplement le chiffre, plus 人 *nin,* dans les situations courantes (ou le chiffre plus 名 *mei,* dans les situations officielles (cf. leçon 44, phrase 5).

(6) いらっしゃいません *irasshaimasen* degré plus équivalent à 来ません *kimasen,* si le sujet est l'interlocuteur : "**vous** ne venez pas".

練習
renshû

1. このごろ は 映画 を 見 に 行く
konogoro wa eiga o mi ni iku

   より もっぱら テレビ で 見る の です。
yori moppara terebi de miru no desu

2. 日本 へ 両親 を つれて 行った の
nihon e ryôshin o tsurete itta no

   が きっかけ です。
ga kikkake desu

3. 生け花 を 趣味 で やって います。
ikebana o shumi de yatte imasu

4. ざんねん です が、日本語 で 話す
zannen desu ga, nihongo de hanasu

   機会 が なかなか ありません。
kikai ga nakanaka arimasen

5. 伯父 さん から 歌舞伎 が お 好き
oji san kara kabuki ga o suki

   だ と 聞きました。
da to kikimashita

…に 言葉 を 入れ なさい。
... ni kotoba o ire nasai

1. *Il y avait deux cents personnes au cocktail d'hier.*

   . . . . . . kakuteru-pâtî ni hito ga . . . .

   . . . .

Exercices

1. Ces temps-ci, plutôt que d'aller au cinéma, c'est surtout à la télévision que je regarde les films.
2. L'occasion en a été mon voyage au Japon avec mes parents.
3. Dans mes loisirs je fais de l'arrangement de fleurs.
4. C'est dommage, mais je n'ai presque pas d'occasions de parler japonais.
5. J'ai entendu dire par votre oncle que vous aimiez le kabuki.

2. *Vous avez fait du français pendant combien de temps ?*

. . . . nasaimashita ka

3. *Le samedi tous les quinze jours, je vais au concert.*

. . . . ongakkai . . . .

4. *J'aime écouter du jazz.*

jazu o kiku . . ga suki desu

5. *C'est plus agréable de jouer que d'écouter.*

kiku . . . . fuku . . . .

Réponses : 1. kinô no - ni hyaku nin imashita. 2. furansugo wa donogurai -. 3. doyôbi ni kakushû de - ni ikimasu. 4. - no -. 5. - yori - hô ga tanoshii desu.

* * * * *

第四十八課　　秋の日の…
だい よん じゅう はっ か　　あき　　の　　ひ　　の
dai yon jū hak ka　　　aki　no　hi　no

1 －もう　そろそろ　夏　が　終わります
　　　mô　　so ro so ro　natsu　ga　o wa ri ma su

　　ね。
　　ne

2　秋　の　足音　が　聞こえる　みたい
　　aki　no　ashi oto　ga　ki ko e ru　mi ta i

　　です　ね。
　　de su　ne

3　いわし雲　が　浮かんで　いる　空
　　i wa shi gumo ga　u ka n de　i ru　sora

　　や　夕焼け　を　見る　と、　この
　　ya　yû ya ke　o　mi ru　to,　ko no

　　世　が　空しく　なります。(1)
　　yo　ga　muna shi ku　na ri ma su

4　枯葉　が　落ちる　の　を　見て
　　kare ha ga　o chi ru　no　o　mi te

　　いる　と　悲しく　なります。(2)
　　i ru　to　kana shi ku　na ri ma su

*****

Quarante-huitième leçon
(ième / quatre-dix-huit / leçon)

... de l'automne...
(automne / [relation] / jour / [relation])

1 — L'été va bientôt s'en aller...
(déjà / tout doucement / été / [sujet] / finir /
[accord])

2   C'est comme si l'on entendait les bruits de pas de
l'automne.
(automne / [relation] / pied-bruit / [sujet] / être
audible / on dirait / c'est / [accord])

3   Lorsque je vois le ciel où flottent les nuages
d'automne, et les couchers de soleil, ce monde
me semble bien vain.
(cirro-cumulus / [sujet] / flotter / ciel / et /
crépuscule / [objet] / regarder / lorsque // ce /
monde / [sujet] / vain / devenir)

4   Lorsque je regarde tomber les feuilles mortes, je
deviens triste.
(feuille morte / [sujet] / tomber / le fait de /
[objet] / regarder / lorsque // triste / devenir)

NOTES

(1) いわし雲 *iwashigumo*. Ce sont ces grandes nappes
de nuages en couche très mince, qui ressemblent à des
vaguelettes et qui se disloquent en formant des groupes
de taches sur le ciel. Les livres savants appellent ces
nuages des cirro-cumulus. Cela manque de poésie ! Alors
que いわし雲 *iwashigumo* (littéralement : ''nuage-
sardine'' ! guère plus artistique !) est inséparable de la
sensation poétique née de l'automne.
(2) の *no,* cf. leçon 47, note 4. La phrase 4 est
littéralement : ''lorsque je vois **le fait que** les feuilles
mortes tombent'', la phrase 6 : ''lorsque je vois **le fait
que** les rayons de soleil... brillent''...

5 全く 「秋 の 日 の ビオロン
   matta ku   aki no hi no bi o ro n

   の 溜息…」 の 詩 の よう
   no tame iki   no shi no yô

   です な。(3)
   de su   na

6 夏 の 終わり の 日暮れ の
   natsu no o wa ri no hi gu re no

   太陽 の 光 が 庭 の 柿 の
   tai yô no hikari ga niwa no kaki no

   木 の 葉 に 輝いて いる の を
   ki no ha ni kagaya i te i ru no o

   見る と、もう 秋 に なって
   mi ru to, mô aki ni na t te

   しまった の か と 思います。(4)
   shi ma t ta no ka to omo i ma su

7 時 が あまり にも 早く 過ぎる
   toki ga a ma ri ni mo haya ku su gi ru

   ので、寂しい 気持 に なります。
   no de, sabi shi i ki mochi ni na ri ma su

8 人 の 命 なんて はかない
   hito no inochi na nte ha ka na i

   もの です ね。
   mo no de su ne

5 C'est exactement comme le poème : ''Les sanglots longs des violons de l'automne...''
(exactement / automne / [relation] / jour /
[relation] / violon / [relation] / soupir / [relation] /
poème / [relation] / similitude / c'est / [réflexion])

6 Lorsque je regarde les rayons du soleil, au déclin
d'un jour de fin d'été, briller sur les feuilles de
l'arbre à kaki du jardin, je vois bien que l'automne
est là.
(été / [relation] / fin / [relation] / fin du jour /
[relation] / soleil / [relation] / rayon / [sujet] /
jardin / [relation] / kaki / [relation] / arbre /
[relation] / feuille / [lieu] / briller / le fait de /
[objet] /   regarder / lorsque // déjà / automne /
[but] / devenir / faire jusqu'au bout / c'est que /
[question] / [citation] / penser)

7 Le temps passe trop vite, cela me rend mélancolique.
(temps / [sujet] / trop / vite / passer / parce que
// être mélancolique / sentiment / [but] / devenir)

8 La vie humaine est vraiment peu de chose !
(être humain / [relation] / vie / ce qu'on appelle /
ne pas peser lourd / chose / c'est / [accord])

NOTES (suite)

(3) 秋 の 日 の ビオロン の 溜息
aki no hi no bioron no tameiki...
Ce sont les premiers mots, très célèbres, de la traduction
par un poète japonais, non moins célèbre (UEDA Bin
1874-1916), du poème encore plus célèbre de Verlaine
''Les sanglots longs des violons de l'automne...''. Le
Japon est le pays du monde où l'on a le plus traduit et où
l'on traduit toujours le plus, les œuvres littéraires des
autres pays.
(4) 柿 *kaki,* fruit de l'automne, dont la couleur est un
orange lumineux.

9 -あら、あなた の ご 主人 は
   a ra,   a na ta   no   go   shu jin   wa

ロマンティック な 方 です ね。(5)
ro ma n ti   k ku   na   kata   de su   ne

10 いつも こんな 風 です か。
   i tsu mo   ko n na   fû   de su   ka

11 -いいえ。酔っ払った 時 だけ
    i i e.   yo p para t ta   toki   da ke

です。お 酒 を 飲んで いない
de su.   o   sake   o   no n de   i na i

時 は 現実的 な 人 です よ。
to ki wa   gen jitsu teki   na   hito   de su   yo

12 そう で なければ、どうやって
   sô   de   na ke re ba,   dô   ya t te

冷凍 食品 を 売る 商売 が
rei tô shoku hin   o   u ru   shô bai   ga

できます か。
de ki ma su   ka

発音
hatsu.on
2. mitaill′ 3. yuuyaké 8. hakanaill′ 9. chujin 12.
leill′toochokouhin′ ... choobaill′.

*****

9 — Eh bien, votre mari est quelqu'un de romantique !
(eh bien / vous / [relation] / [politesse]-mari /
[annonce] / romantique / c'est / être humain /
c'est / [accord])

10   Il est toujours comme çà ?
(toujours / de cette sorte / manière / c'est /
[question])

11 — Non. Seulement quand il a bu. Quand il est à jeun
c'est plutôt quelqu'un de réaliste.
(non) (être ivre / moment / seulement / c'est)
([familiarité]-alcool / [objet] / ne pas boire /
moment / [renforcement] // réaliste / c'est / être
humain / c'est / [engagement])

12   Sinon, comment pourrait-il faire son travail qui est
de vendre des produits surgelés ?
(ainsi / si ce n'est pas / comment / surgelé-
produit / [objet] / vendre / commerce / [sujet] /
être possible / [question])

NOTES (suite)

(5) 方 <ruby>方<rt>かた</rt></ruby> *kata,* bien que ce soit un nom, on peut le
considérer comme le degré plus, correspondant au degré
moyen 人 <ruby>人<rt>ひと</rt></ruby> *hito :* "un être humain, une personne".

Leçon 48

練習
れんしゅう

renshû

1. そう で なければ、どうやって この
   sô de nakereba, dô yatte kono

   工場 で 働く こと が できます か。
   こうじょう　　はたら
   kôjô de hataraku koto ga dekimasu ka

2. 水族館 の 中 に 入る みたい です。
   すいぞくかん　　なか　　はい
   suizokukan no naka ni hairu mitai desu

3. 銀行 に 入る と、すぐ 右 に
   ぎんこう　　はい　　　　　　みぎ
   ginkô ni hairu to, sugu migi ni

   あります。
   arimasu

4. 一人 で 散歩 する の が 大好き
   ひとり　　さんぽ　　　　　　　　だいす
   hitori de sanpo suru no ga daisuki

   です。
   desu

5. 海 の よう です。
   うみ
   umi no yô desu

…に 言葉 を 入れ なさい。
　　ことば
... ni kotoba o ire nasai

1. *Quand je vois la lune se lever, je deviens triste.*

   . . . . deru . . . . , ...

   . . . .

****

Exercices

1. Sinon, comment pourrait-il travailler dans cette usine ?
2. On croirait entrer dans un aquarium.
3. C'est tout de suite à droite quand on entre dans la banque.
4. J'adore me promener tout seul.
5. On dirait la mer.

2. *Votre mari est quelqu'un de réaliste.*

   go shujin . . . .

3. *C'est seulement quand il a beaucoup mangé.*

   takusan . . . .

4. *C'est difficile de fabriquer quelque chose de bien.*

   . . mono . . . .

   . . . .

5. *Je regarde la pluie tomber.*

   . . . . . . futte iru . . . mi . . . .

Réponses : 1. tsuki ga - no o miru to, kanashiku narimasu. 2. - wa genjitsuteki na kata desu ne. 3. - tabeta toki dake desu. 4. ii - o tsukuru no wa muzukashii desu. 5. ame ga - no o - te imasu.

* *

第四十九課
だい よん じゅう きゅう か
dai yon jû kyû ka

まとめ
matome

Magnifique !... Vous voilà à la fin de votre premier parcours. Avec cette leçon de révision, vous terminez la phase dite passive, pendant laquelle vous vous êtes laissé imprégner par la langue japonaise. Vous êtes prêt maintenant à entrer dans la phase active, c'est-à-dire à utiliser ce que vous avez emmagasiné, tout en continuant à acquérir de nouveaux éléments.

Cette phase active commencera avec la leçon 50 dans le second volume. Nul doute que vous n'ayez hâte de vous y plonger, mais... avant, nous avons bien besoin de faire un bon arrêt pour assurer nos connaissances, et profiter ainsi au maximum de la phase active.

1. Tout d'abord, eh oui, encore une fois, les **verbes**. Il nous faut un peu les ''démonter'' pour que vous puissiez les utiliser à toutes les formes sans difficulté. Rappelez-vous ce que nous disions dans la leçon 42 à la fin du paragraphe 4. Le principe est simple (et pas tellement original, c'est ce qui se passe dans la plupart des langues, y compris le français !) : des suffixes, venant s'ajouter à une ou des bases. Ces suffixes, nous les connaissons presque tous. Pour **le degré moyen,** nous les fréquentons depuis fort longtemps et ils doivent vous paraître absolument naturels : c'est la série ます *masu* et ses dérivés. Nous ne la citerons même plus ici. Au cas où vous auriez tout de même un petit trou de mémoire ou un petit doute, vous pouvez vous reporter à la leçon 7, paragraphe 1, où déjà nous récapitulions toute la série, et à la leçon 35, paragraphe 4.

Pour **le degré moins,** ils nous sont peut-être moins familiers, mais nous les avons déjà presque tous revus à

Révision et notes　　Quarante-neuvième leçon
　　　　　　　　　　　(ième / quatre-dix-neuf / leçon)

propos de する *suru* "faire" dans la leçon 42, paragraphe
4. Ce sont :

— – ない *-nai,* qui sert à former la négation (cf. leçon
29, phrase 2 : 行かない *ikanai* "ne pas aller" ; leçon 38,
phrase 1 : わからない *wakaranai* "ne pas être compréhensible" ; leçon 41, phrase 12 : 作れない *tsukurenai*
"ne pas pouvoir fabriquer ; leçon 48, phrase 11 :
飲んで いない *nonde inai* "ne pas être en train de
boire").

— なかった *nakatta,* qui sert à former la négation du
passé (cf. leçon 40, phrase 12 : 出なかった *denakatta*
"ne pas être apparu").

— たい *tai,* qui permet de dire "je **veux** faire ceci ou
cela" (cf. leçon 27, phrase 6 : 会いたい *aitai* "je veux
rencontrer", leçon 31, phrase 1 : 買いたい *kaitai* "je veux
acheter" ; leçon 34, phrase 3 : 住みたい *sumitai* "je veux
habiter" ; leçon 45, phrase 1 : 開きたい *hirakitai* "je veux
ouvrir").

Maintenant, regardons ce qui se passe. Prenons certains
verbes que nous venons de citer, à leur forme de degré
moins, forme sous laquelle vous les trouverez dans les
dictionnaires, la forme la plus neutre. "Aller", nous
l'avons vu entre autres à la leçon 43, phrase 13, et à la
leçon 46, phrase 14, c'est 行く *iku.* "Apparaître",
"sortir", vu à la leçon 31, phrase 1, c'est 出る *deru.* Cette
forme, vous l'avez remarqué depuis longtemps, finit
toujours par *u.* Et ceci est vrai pour tous les verbes. Par
exemple pour d'autres verbes : "boire" sera 飲む *nomu,*
"être compréhensible" sera わかる *wakaru.*
Reprenons "aller" 行く *iku* et "apparaître, sortir" 出る
deru. C'est là qu'il vous faut faire preuve de perspicacité.

Leçon 49

Prenons ces verbes au degré moyen, donc avec le suffixe
ます *masu.*

出る   *deru*   行く   *iku*
出ます   *demasu*   行きます *ikimasu*

Regardez. Le suffixe ます *masu* est bien le même dans
les deux cas. Mais vous devez découvrir une différence
dans la façon dont on passe d'une forme à l'autre. Allez...
à vous de trouver... Ça y est presque... Qu'est-ce qui
reste ? Qu'est-ce qui part ? Qu'est-ce qui change ? Voilà,
nous y sommes : pour 出る *deru, masu* vient remplacer
carrément *ru :* 出る **de**ru, 出ます **de**masu. Et regardons
tout de suite d'autres formes : 出ない **de**nai ''ne pas
sortir'', 出なかった **de**nakatta ''ne pas être sorti'', 出たい
detai ''je veux sortir'', et même 出た **de**ta ''être sorti'' (cf.
leçon 27, phrase 13, degré moins avec un suffixe た *ta,*
pour le passé, dont nous parlerons plus tard). Vous l'avez
compris, pour ce verbe, il y a une seule base : 出 *de,* et
tous les suffixes viennent s'ajouter à cette base. Pas trop
compliqué ! Il y a donc une partie des verbes qui
fonctionnent de cette manière et leur forme la plus neutre
(celle du dictionnaire) est obligatoirement terminée par *iru*
ou *eru. Ru* s'en va et les suffixes viennent ! (mais
attention, la proposition n'est pas réversible, tous les
verbes qui se terminent en *iru* ou *eru* ne fonctionnent pas
de cette façon !).

Essayons avec un verbe qui ''marche'' comme ça :
''manger'' 食べる *taberu : ru* s'en va, reste *tabe ;*
''manger'' (degré moyen) 食べます **tabe**masu ; ''ne pas
manger'' (degré moins) 食べない **tabe**nai, ''avoir
mangé'' (degré moins) 食べた **tabe**ta, ''je veux manger''
食べたい **tabe**tai.

Essayons encore avec ''regarder'' 見る *miru : ru* s'en va,
mi reste ; ''regarder'' (degré moyen) 見ます **mi**masu, ''ne
pas regarder''(degré moins)見ない **mi**nai, ''avoir regardé''

見た **mita.** Pour ces verbes-là, c'est clair, non ? Pas de problème. C'est un peu plus compliqué pour les autres. Revenons à notre 行く *iku* "aller" : 行く *iku* 行きます *ikimasu.* Ici, il n'y a rien qui s'en va, mais une voyelle qui change : *iku, ikimasu.* Le **ik** reste bien, mais entre lui et les suffixes, il y aura toujours une voyelle, qui sera différente selon le suffixe. Prenons les formes que nous connaissons déjà bien : "aller" (degré moyen) 行きます *ikimasu,* "je veux aller" 行きたい *ikitai,* mais, "ne pas aller" 行かない *ik**a**nai.* Ce n'est pas si terrible ! Devant la série ます *masu,* et devant たい *tai,* c'est *i,* devant ない *nai,* c'est *a.* On utilise aussi le *e* et le *o...* mais, pas tout à la fois ! Nous avons décidé depuis longtemps de prendre notre temps ! Retenons bien ces deux-là pour le moment. Et observons bien les formes verbales que nous rencontrons. Bien sûr, il y aura des petites exceptions de temps en temps, mais nous en parlerons tranquillement en temps utile. Par exemple, il y a des petits problèmes quand le suffixe qu'on ajoute est le た *ta* du passé ou le て *te.* Mais... nous avons encore 50 leçons ! Alors... pas de panique !

Vous voyez bien, petit à petit, nous les grignotons et nous les digérons, les verbes. Après tout, c'est le seul vrai plat de résistance que nous avons à nous mettre sous la dent ; le reste ça marche tout seul, non ? Le principal, c'est de se faire des mâchoires en béton, et nous y arriverons...

2. Reste à parler un peu du **degré plus.** Car nous commençons à l'utiliser de plus en plus... sans jeu de mots ! Ce degré plus a deux particularités par rapport aux autres degrés, moyen et moins. La première, nous en avons déjà parlé (cf. leçon 47, note 1) : pour certains verbes très usuels, comme "aller", "venir", "se trouver", "c'est", le degré plus n'est pas une forme du verbe, mais un verbe différent.

Nous avons vu ainsi : leçon 44, phrases 1 et 9 :
で ございます *de gozaimasu* "c'est" ; leçon 46, phrase
7 et leçon 47, phrase 4 : des formes de なさる *nasaru*
équivalent de する *suru* "faire" ; leçon 47, phrase 2 : une
forme de うかがう *ukagau*, degré plus pour "entendre
dire" ; leçon 47 encore, phrase 11, une forme de
いらっしゃる *irassharu,* degré plus équivalent entre
autres de 来る *kuru* "venir". Pour les verbes moins
usuels, il y a plusieurs manières de faire le degré plus,
nous en avons vu une dans la leçon 47, phrase 1, note 1.
La deuxième particularité est toute neuve, et fort
étrangère à nos têtes françaises. Les formes du degré
moyen s'emploient indifféremment pour parler de "je" ou
de "vous" à qui "je" m'adresse. Voyons la leçon 3 :
question : ... 食べます か。*tabemasu ka* "est-ce que
vous mangez... ?" ; réponse : ... 食べます。 *tabemasu* "**je**
mange...". La même forme 食べます *tabemasu* peut
correspondre à "je mange" ou à "vous mangez". Ceci est
impossible avec les formes de degré plus. Une forme
donnée correspond soit à "je", soit à "vous", jamais aux
deux.
Regardons la leçon 47. Un jeune homme rencontre une
jeune femme dans un cocktail. Pour dire la vérité, il... la
drague un peu ! Mais avec beaucoup de politesse,
comme il sied dans une telle situation. Pour lui demander
si elle aime quelque chose, il lui dira : ... お 好き です
か **o** suki desu ka (cf. phrase 2), cela ne peut vouloir
dire que "aimez-**vous**... ?" (littéralement : "... être aimé

****

de vous ?''). Elle répond (phrase 3) : ... 好き です *suki desu*, qui est la seule réponse possible : "**j'**aime...".

Pour les verbes au degré plus, c'est la même chose. Une forme comme お 飲み に なります *o nomi ni narimasu* (leçon 47, phrase 1, note 1) ne peut correspondre qu'à "**vous**" : "**vous** buvez". On la trouvera bien sûr le plus souvent dans des questions. Pour les verbes très usuels, où le degré plus est un verbe différent, il y aura en fait à chaque fois deux verbes degré plus, spécialisés, l'un pour "je", l'autre pour "vous". Ainsi, なさる *nasaru* "faire" est spécialisé pour "vous" (cf. leçon 46, phrase 7 ; leçon 47, phrase 4), いらっしゃる *irassharu* "venir" est spécialisé pour "vous" (cf. leçon 47, phrase 11).

Par contre, le で ございます *de gozaimasu* (cf. leçon 44, phrases 1 et 9) veut bien dire "c'est", mais est spécialisé pour "je", c'est-à-dire : "(en ce qui **me** concerne) c'est". De toute manière, nous signalons toujours les degrés plus, et nous indiquerons désormais, directement dans la traduction décomposée, la "spécialité" de cette forme, soit "je", soit "vous".

Voilà. C'était un peu long, mais il faut bien terminer en beauté cette première phase et vous donner toutes les armes pour réussir au mieux la seconde, que vous pouvez maintenant attaquer sans attendre.

****

A BIENTOT dans le Tome II.

APPENDICE I

Les pages suivantes vous présentent les tableaux des deux syllabaires : HIRAGANA et KATAKANA, avec, pour chaque syllabe, la transcription selon l'usage officiel.

Ces tableaux sont là pour vous aider à vous repérer, si vous voulez essayer de lire les leçons sans consulter la transcription ou la prononciation figurée.

Mais, n'essayez pas encore d'apprendre à les tracer. Cela viendra bientôt, à son heure, lors de la phase active. Et vous aurez alors toutes les explications nécessaires pour les écrire comme il faut.

Pour l'instant, contentez-vous d'habituer votre œil. **Repérez les syllabes, apprenez à les lire.** C'est le premier pas, absolument nécessaire, indispensable.

(A noter que ces tableaux se lisent, comme tout texte japonais "normal", de haut en bas et de droite à gauche, donc dans l'ordre : A, I, U, E, O, KA, KI, KU, KE, KO, etc.)

A あ	KA か	GA が	SA さ	ZA ざ	TA た	DA だ	NA な	HA は	BA ば	PA ぱ	MA ま	YA や	RA ら	WA わ
I い	KI き	GI ぎ	SHI し	JI じ	CHI ち		NI に	HI ひ	BI び	PI ぴ	MI み		RI り	
U う	KU く	GU ぐ	SU す	ZU ず	TSU つ	DE で	NU ぬ	FU ふ	BU ぶ	PU ぷ	MU む	YU ゆ	RU る	
E え	KE け	GE げ	SE せ	ZE ぜ	TE て	DO ど	NE ね	HE へ	BE べ	PE ぺ	ME め		RE れ	
O お	KO こ	GO ご	SO そ	ZO ぞ	TO と		NO の	HO ほ	BO ぼ	PO ぽ	MO も	YO よ	RO ろ	O を

N ん

A ア	KA カ	GA ガ	SA サ	ZA ザ	TA タ	DA ダ	NA ナ	HA ハ	BA バ	PA パ	MA マ	YA ヤ	RA ラ	WA ワ
I イ	KI キ	GI ギ	SHI シ	JI ジ	CHI チ		NI ニ	HI ヒ	BI ビ	PI ピ	MI ミ		RI リ	
U ウ	KU ク	GU グ	SU ス	ZU ズ	TSU ツ		NU ヌ	FU フ	BU ブ	PU プ	MU ム	YU ユ	RU ル	
E エ	KE ケ	GE ゲ	SE セ	ZE ゼ	TE テ	DE デ	NE ネ	HE ヘ	BE ベ	PE ペ	ME メ		RE レ	
O オ	KO コ	GO ゴ	SO ソ	ZO ゾ	TO ト	DO ド	NO ノ	HO ホ	BO ボ	PO ポ	MO モ	YO ヨ	RO ロ	(O) ヲ

N ン

APPENDICE II : INDEX

Dans les pages qui suivent vous allez trouver un index, où sont classés tous les mots employés dans les leçons de ce volume, avec leur traduction. **Pour chaque mot, un numéro renvoie à la première leçon où ce mot a été utilisé. Lorsqu'il y a plusieurs numéros, le ou les numéros supplémentaires renvoie(nt) à une ou des leçons où ce mot a fait l'objet d'une note.** Sur ce point, cela ressemble à n'importe quel index !

Mais... **vous serez sans doute surpris par l'ordre adopté pour le classement...** à moins que vous n'ayez déjà étudié à fond les tableaux des pages 313 et 314... Nous sommes habitués à notre vieil ordre alphabétique, à nos A, B, C, D et la suite... qui nous paraissent absolument naturels (sinon parfois universels !). **Puisque nous sommes dans le japonais, soyons-y jusqu'au cou.** Comme vous vous en êtes déjà rendu compte, les Japonais ont une autre écriture. "Alphabet... connais pas..." **Ce qui correspond, au Japon, à notre ordre alphabétique, c'est l'ordre des syllabes selon les tableaux de hiragana et de katakana** (cf. pages 313 et 314), où les syllabes doivent se lire de haut en bas et de droite à gauche (cf. page 312). Cet ordre de classement (A, I, U, E, O, KA, KI, KU, KE, KO, SA, SHI, SU, SE, SO, etc.) est utilisé au Japon en toutes circonstances : dictionnaires (ceux dont vous vous servirez plus tard), annuaires de téléphone, index en tous genres, toute liste de noms ou de mots. Il nous faut donc dès maintenant nous y habituer. Cependant, l'ordre adopté ici est légèrement différent de l'ordre normal, ceci pour vous faciliter la tâche au début. Mais nous corrigerons cela facilement par la suite dès que nous commencerons à apprendre à tracer les hiragana et les katakana, c'est-à-dire dans très peu de temps.

INDEX

A

ani	兄	mon frère aîné 27
ane	姉	ma sœur aînée 31
afurika	アフリカ	AFRIQUE 39
apâto	アパート	appartement 24
amarinimo	あまりにも	trop 48
ame	雨	pluie 31
amerika	アメリカ	AMERIQUE, USA 8
arawasu	表す	exprimer 36
arigatô (gozaimasu)	ありがとう（ございます）	merci 9, 18
aru	ある	exister, se trouver (inanimés). . . 4, 35
aru (+ nom)	ある	un certain 37
aruku	歩く	marcher 6
aruzenchin	アルゼンチン	ARGENTINE 41
anshin	安心	paix, tranquillité 23
anzen	安全	sécurité, sûreté 43
annai (suru)	案内	guider, faire visiter 40

I

i	胃	estomac 46
ii	いい	être bien 2
iie	いいえ	non 9
iu	言う	dire, s'appeler 33
ie	家	maison 34
ikaiyô	胃潰瘍	ulcère à l'estomac 46
ikaga	いかが	comment ? 16
iku	行く	aller 1
ikutsu	いくつ	combien ? (dénombrable) 15

U

ue	上	dessus	23
ueno	上野	UENO *(nom de lieu)*	39
ukagau	うかがう	écouter, demander *(degré plus)*	47
ukabu	浮かぶ	flotter	48
ugokasu	動かす	faire mouvoir	40
ushiro	後ろ	derrière	22
uta	歌	chanson, poème	19
utau	歌う	chanter	19
uchû	宇宙	univers	43
utsukushii	美しい	être joli	19
umareru	生まれる	naître	38
umi	海	mer	30
ura	裏	envers, revers	17
urayamashii	うらやましい	être jaloux	30
uru	売る	vendre	48
urusai	うるさい	être gênant	24

E

e	へ	[destination]	1, 7
ea.tâminaru	エア・ターミナル	terminal d'aéroport	27
eiga	映画	film, cinéma	8
ee	ええ	oui *(familier)*	12
eki	駅	gare, station de métro	6
esu.efu	S. F.	science-fiction	43
eda	枝	branche	39
edo	江戸	EDO *(nom de lieu)*	17

osoi	遅い	être tard	11
oji	伯父	mon oncle	31
ojiisan	お祖父さん	grand-père	39
ojôsan	お嬢さん	votre fille	15
ochiru	落ちる	tomber	48
oto	音	bruit, son	24
otoko no ko	男 の 子	garçon	15
ototoi	おととい	avant-hier	39
otona	大人	adulte	44
o tomo suru	お 供 する	accompagner (degré plus)	26
odoroku	驚く	s'étonner	39
onaji	同じ	même, identique	36
o negai shimasu	おねがい します	s'il vous plaît	9, 16
o hayô gozaimasu	お はよう ございます	bonjour	3
o hisashiburi desu	お 久しぶり です	Cela fait bien longtemps	30
obaasan	お祖母さん	grand-mère	39
ôboe	オーボエ	hautbois	47
oboeru	覚える	se rappeler	36
obotchan	お坊ちゃん	votre petit garçon	15
opera	オペラ	opéra	41
omedetô gozaimasu	おめでとう ございます	mes félicitations !	23
omo ni	主 に	principalement	40
omou	思う	penser	25
omoshiroi	おもしろい	être intéressant	6

oyogu	泳ぐ	nager	30
ori	檻	cage	39
owari	終り	fin	48
owaru	終る	finir, se terminer	48
ongaku	音楽	musique	47
ongakkai	音楽会	concert	29
onna	女	femme, de sexe féminin	41
onna no ko	女 の 子	fillette	15

KA

ka	か	[question]	2
kai	階	étage	24
kaigan	海岸	rivage	30
kaisha	会社	société, entreprise	23
kainushi	飼い主	maître *(d'un animal)*	37
kaimono	買物	courses, achats	5
kairui	貝類	coquillages	30
kau	買う	acheter	5
kau	飼う	élever *(un animal)*	33
kaeru	帰る	rentrer chez soi	31, 35
kakaru	かかる	être accroché	31
kakaru	かかる	prendre *(temps)*	32
kaki	柿	plaqueminier, arbre à kaki	48
kaku	書く	tracer, écrire, dessiner	17
kakushû	隔週	une semaine sur deux	47
kakuteru.pâtî	カクテル・パーティー	cocktail	47

kakeru (denwa o) かける（電話 を）

téléphoner 16

kagayaku	輝く	étinceler	48
kasa	傘	parapluie	31
kashu	歌手	chanteur, chanteuse	19
kasu	貸す	prêter	32
kasetto	カセット	cassette	47
kata	方	une personne *(degré plus)*	48
katsudô	活動	activité	47
kanai	家内	mon épouse	18
kanashii	悲しい	être triste	48
kanata	彼方	tout là-bas	43
kanada	カナダ	CANADA	45
kanarazu	必ず	certainement, sans faute	27

kanarazushimo *(+ nég.)* 必ずしも

pas nécessairement 36

kane	金	argent *(monnaie)*	31
kaban	鞄	sac	31
kabuki	歌舞伎	kabuki, théâtre traditionnel	29
kamera	カメラ	appareil-photo	4
kayôbi	火曜日	mardi	29
kara *(après nom)*	から	à partir de	6, 7
kara *(après verbe)*	から	parce que	24, 31
karappo	からっぽ	complètement vide *(familier)* . . .	45
kareha	枯葉	feuille morte	48
kawa	側	côté	20
kawa	川	rivière	36
kawaii	可愛い	mignon	33

KI

KU

KE

kekkô	けっこう	parfait 4, 12
kekkon	結婚	mariage 15
kesa	今朝	ce matin 13
kedo	けど	*familier pour keredomo* 44
keredo	けれど	*familier pour keredomo* 45
keredomo	けれども	bien que 24
- ken *(après chiffre)*	…軒	*pour compter les maisons* 34
kengaku	見学	visite d'étude 40

KO

koi	恋	amour 43
kôin	工員	ouvrier, employé. 40
kokuseki	国籍	nationalité 38
kokudô	国道	route nationale 32
kôkûbin	航空便	courrier par avion. 22
koko	ここ	ici. 5
kôsui	香水	parfum. 31
kôsokudôro	高速道路	autoroute 32
kôza	口座	compte en banque. 45
kôjô	工場	usine 40
kotaeru	答える	répondre 39
kochira	こちら	par ici 40
kôtsû	交通	circulation *(transports)*. 23
koto	こと	fait, événement. 32, 42
kôtôgakkô	高等学校	lycée 47
kotoshi	今年	cette année. 23
kotoba	言葉	mot 1

kotowaru	断る	refuser 41
kodomo	子供	enfant 15
kono	この	ce, cette, ces *(devant moi)* 18
kono aida	この 間	récemment 31
konogoro	このごろ	ces temps-ci. 46
kôhî	コーヒー	café *(boisson)* 3
komaru	こまる	être ennuyé. 13
komu	混む	être encombré 32
komugi	小麦	blé 30
kore	これ	ceci 17
korekara	これから	à partir de maintenant 40
kowai	こわい	être terrifié 39
konsâto	コンサート	concert 19
kondo	今度	cette fois-ci 19
konna	こんな	de cette sorte-ci 45
konna ni	こんな に	ainsi, comme ceci 39
konnichi wa	こんにち は	bonjour 12
konban	今晩	ce soir 9
konpyûta	コンピュータ	ordinateur 40

GA

ga *(après nom)*	が	[sujet]. 4, 7
ga *(après verbe)*	が	mais. 19
gaikokujin	外国人	étranger. 45
gaun	ガウン	robe de chambre 31
gakki	楽器	instrument de musique 47
- gatera	…がてら	tout en. 31
garêji	ガレージ	garage. 34

GI

girisha	ギリシャ	GRECE	22
ginkô	銀行	banque	31

GU

gurai	ぐらい	cf. kurai

GE

- getsu *(après chiffre + ka)*	··· 月		
		mois *(durée)*	34
getsuyôbi	月曜日	lundi	26
genki	元気	bonne santé	23
genjitsuteki	現実的	réaliste	48

GO

go	五	cinq	15
- go *(après nom de pays)*	··· 語		
		langue de ce pays	26
- go *(après nom de temps)*	··· 後		
		après	31
gogatsu	五月	mai	23
gogo	午後	après-midi	11
gozen	午前	matin	27
gochisô	ごちそう	festin	41
gomen nasai	ごめん なさい		
		excusez-moi, pardon	17

SA

- sai *(après chiffre)*	歳	ans *(âge)*	15
saikin	最近	récemment	47
saikon	再婚	remariage	15
saigo	最後	dernier	43
saisho	最初	premier	32
saifu	財布	porte-monnaie	45
sakana	魚	poisson	9
sakkyokuka	作曲家	compositeur	41
sake	酒	alcool, saké	4
sagasu	捜す	chercher	34
sasou	誘う	inviter	16
sabishii	寂しい	être mélancolique, triste	48
- sama	…さま	*après nom de personne (degré plus)*	44
saraishû	再来週	dans deux semaines	46
saru	猿	singe	39
san	三	trois	11
- san	…さん	*après nom de personne*	12,16,19
sandouitchi	サンドウィッチ	sandwich	16
sanpo	散歩	promenade	31

SHI

shi	詩	poésie	48
shiasatte	しあさって	après - après-demain, dans deux jours	27

shôkai	紹介	présentation	15
shokugyô	職業	profession	38
shokugo	食後	après le repas	41
shokuji	食事	repas	26
shokuhin	食品	aliments	48
shôgo	正午	midi juste	44
shôshô	しょうしょう	un petit peu	18
shôshin	昇進	avancement, promotion	46
shôsetsu	小説	roman	25
shôbai	商売	commerce, affaires	48
shiyôryô	仕用料	taxe	45
shorui	書類	imprimé, papier	38
shiraberu	調べる	étudier, examiner	22
shiru	知る	savoir, connaître	6
shiroi	白い	être blanc	31
shiwa	しわ	ride	39
shinseki	親戚	parents, parenté	36
shinsen	新鮮	frais, nouveau	30
shinpai	心配	inquiétude	27
shinryaku	侵略	invasion	43

SU

suizokukan	水族館	aquarium (bâtiment)	6
suiheisen	水平線	horizon	30
suiyôbi	水曜日	mercredi	46
suiri shôsetsu	推理小説	roman policier	25
suu	吸う	aspirer	20
suki	好き	être aimé	10

sukoshi	少し	un peu	26
sugiru	過ぎる	excéder, dépasser	48
sugu	すぐ	immédiatement	16
sugoi	すごい	être extraordinaire	32
sushi	寿司	sushi *(cuisine japonaise)*	16
susumu	進む	avancer	32
susumeru	すすめる	conseiller	18
subarashii	すばらしい	être magnifique	30
supai	スパイ	espion	25
supîdo	スピード	vitesse	32
sûpu	スープ	soupe, potage	9
supein	スペイン	ESPAGNE	38
sumimasen	すみません	excusez-moi	40
sumu	住む	habiter	15
sumô	相撲	sumô *(sport)*	10
suru	する	faire	8, 20, 42

SE

seigen	制限	limitation	32
seizô	製造	fabrication	40
seihin	製品	produit fabriqué	40
setsumei	説明	explication	38
setonaikai	瀬戸内海	SETONAIKAI, la Mer Intérieure	30
semai	狭い	être étroit	24
sen	千	mille	17
senshû	先週	semaine dernière	29
sensei	先生	professeur	33
sensô	戦争	guerre	18

SO

sô	そう	ainsi 1
soko	そこ	là 6
sôko	倉庫	entrepôt 40
soshite	そして	et puis 30
sotsugyô	卒業	diplôme 23
sono	その	ce, cette, ces 17
sono uchi ni	そのうちに	peu après 37
sonogo	その後	ensuite, après 23
sono mama	そのまま	tel quel 32
sora	空	ciel 48
sore	それ	cela 4
sorekara	それから	puis, ensuite 6
soretomo	それとも	ou bien 29
soredewa	それでは	alors 3
soredemo	それでも	pourtant 11
sorenara	それなら	dans ce cas 11
sore ni	それに	en outre 26
sorehodo	それほど	à ce point, à tel point 24
sorosoro	そろそろ	doucement, sans se hâter 48
sonna ni	そんなに	tellement, ainsi 20

ZA

zannen	ざんねん	regrettable 19

JI

-ji	・・・時	chiffre + heure(s) *(sur l'horloge)* 11
jikan	時間	heure *(durée)* 13

jiko	事故	accident, incident............ 23
jitsu ni	実 に	en réalité.................. 15
jidai	時代	époque................... 17
jidôsha	自動車	voiture.................... 23
jibun	自分	soi-même................. 18
jimusho	事務所	bureau *(pièce)*.............. 40
jazu	ジャズ	jazz...................... 19
jû	十	dix....................... 11
jûsho	住所	adresse *(lieu)*.............. 38
jûsu	ジュース	jus de fruit................ 16
- jô	…畳	*pour compter les tatamis* 34
joyû	女優	actrice.................... 19
- jin *(après nom de pays)*	…人	
		ressortissant de ce pays 13, 28
jin to	じん と	subitement et profondément
		(douleur).................. 46

ZU

| zuibun | 随分 | très, extrêmement.......... 13 |
| -zutsu | …ずつ | ... chaque................ 39 |

ZE

zeikan	税関	douane.................... 4
zehi	是非	absolument, sans faute....... 19
zenzen *(+ nég.)*	全然	pas du tout, absolument pas .. 24
zenbu	全部	entièrement, totalement 31

ZO

| zô | 象 | éléphant.................. 39 |

TA

tame *(après verbe)*	ため	afin de	38
tameiki	溜息	soupir	48
tariru	足りる	suffire	32
tawâ	タワー	tour *(bâtiment)*	6
tanjôbi	誕生日	anniversaire	29

CHI

chiisai	小さい	être petit	27
chekku.in	チェック・イン		
		enregistrement	44
chikai	近い	être près	6
chikatetsu	地下鉄	métro	31
chikyû	地球	le globe terrestre, la Terre	43
cha	茶	thé	34
chawan	茶碗	tasse pour le thé	17
- chan	…ちゃん	*après un nom de personne (familier)*	39
chûkaryôri	中華料理	cuisine chinoise	9
chûgoku	中国	CHINE	26
chôshi	調子	ton, style	41
chôshoku	朝食	petit déjeuner	3
chotto	ちょっと	un peu	17
chôdo	ちょうど	juste	24
chiryô	治療	soins	46

TSU

tsukau	使う	utiliser, employer	31
tsukaeru	仕える	être au service de	37

tsukamaru	捉まる	attraper, saisir	32
tsuki	月	lune	43
tsuku	着く	arriver à, atteindre	5
tsuku	つく	s'attacher	31
tsukuru	作る	fabriquer	18
tsukeppanashi	つけっぱなし	en marche, ouvert *(radio)*	47
tsukeru	つける	attacher	36
tsugi	次	suivant	19
tsugô	都合	circonstances	19
tsuzuki	続き	suite	37
tsuzuku	続く	continuer, se poursuivre	20
tsutome	勤め	emploi, profession	23
tsutomeru	勤める	travailler, être employé	23
tsuma	妻	ma femme	34
tsumori	つもり	intention	25
tsuyoi	強い	être fort	30
tsurai	つらい	être pénible	20
tsuru	釣る	pêcher	30
tsureru	連れる	accompagner	26

TE

tegami	手紙	lettre, missive	39
tekikoku	敵国	pays ennemi	43
tenisu	テニス	tennis	38
terebi	テレビ	télévision	10
- ten	…展	exposition…	2
ten	点	point	43

tenki	天気	temps *(météorologique)*	16
tenpura	てんぷら	tempura *(cuisine japonaise)*	29

TO

to	と	et *(entre deux noms)*	4
to	と	[citation]	15,36,37
to *(après verbe)*	と	quand, si	46
- tô	…頭	*pour compter les gros animaux*	39
tooi	遠い	être loin	20
toki	時	moment	32
tokidoki	時々	quelquefois	10
tôkyô	東京	TÔKYÔ	6
toku ni	特に	particulièrement	47
tokoro	所	lieu	27
totemo	とても	très	9
tôdai	東大	l'Université de Tôkyô	23
tonari	隣	voisin	20
tobiutsuru	飛び移る	sauter d'un endroit à l'autre	39
tobitatsu	飛び立つ	décoller, s'envoler	43
tomodachi	友達	ami	8
torakku	トラック	camion	32
toranku	トランク	valise	4
toru	取る	prendre, saisir	9

DA

dai *(+ chiffre)*	第	*(chiffre)* ième	1
- dai	…台	*pour compter les véhicules*	34
daietto	ダイエット	régime alimentaire	12

DE

| denwachô | 電話帳 | annuaire téléphonique | .... 36 |

DO

dô	どう	comment ?	 6
doko	どこ	où ?	 1
dokoka	どこか	quelque part	 29
dôshite	どうして	pourquoi ?	 36
dôzo	どうぞ	je vous en prie	 9
dôzô	銅像	statue de bronze	 33
dochira	どちら	lequel des deux ?	 10
dotchi	どっち	lequel des deux ?	 29
donogurai	どのぐらい	combien à peu près ?	 25
dôbutsuen	動物園	zoo.	 39
dômo (arigatô)	どうも（ありがとう）		
		merci	 17
doyôbi	土曜日	samedi.	 19
dôryô	同僚	collègue.	 32
donna	どんな	de quelle sorte ?	 19

NA

na	な	[réflexion].	 19
naiyô	内容	contenu	 43
naoru	直る	guérir.	 46
naka	中	intérieur	 4
nagai	長い	être long	 25
nakanaka (+ nég.)	なかなか		
		pas du tout.	 47
nakama	仲間	camarade	 47

nagame	眺め	vue, spectacle. 24
naku	泣く	pleurer 39
nakunaru	なくなる	mourir, disparaître 37
nasaru	なさる	faire *(degré plus)*. 46
naze	なぜ	pourquoi 33
natsu	夏	été 30
- nado *(après nom)* …など		ce genre d'objets 33, 36
namae	名前	nom *(d'une personne)*. 36
nara *(après nom)* なら		s'il s'agit de... 29
narabu	並ぶ	être aligné, faire la queue 39
narita	成田	NARITA *(nom de lieu)* 27
naru	なる	devenir. 22
nan / nani	何	quoi ?. 2
nanika	何か	quelque chose 34
nanimo *(+ nég.)* 何も		rien. 24
nante	なんて	ce qu'on appelle. 43

NI

ni	に	[lieu], [but], [adverbial]. 4, 14
ni	に	[addition] 16
ni	に	[agent] 35
ni	二	deux. 24
niku	肉	viande 9
nikkô	日航	Japan Air Lines. 27
nishi	西	ouest 30
nitchû	日中	milieu de journée 30
nichiyôbi	日曜日	dimanche. 16
nihon	日本	JAPON. 18

nimotsu	荷物	bagages. 27
nyûin (suru)	入院（する）	être hospitalisé 23
nyûgaku (suru)	入学（する）	entrer dans une école 38
nyûkyo (suru)	入居（する）	s'installer *(dans une maison)* . . . 34
nyûsu	ニュース	informations *(radio ou télévision)* 10
niru	似る	ressembler 39
niwa	庭	jardin 34
- nin	…人	*pour compter les personnes* 47

NE

ne	ね	[accord] 1
negai	願い	demande 45
nemui	眠い	être ensommeillée 39
neru	寝る	se coucher, dormir 11
- nen	…年	année *(date ou durée)* 15
- nenkan	…年間	ans *(durée)* 37
nendai	年代	période 40

NO

no	の	[relation] 4
no	の	[question] 29
no	の	[remplacement] 38
no	の	le fait de 47
nokoru	残る	rester 45
node	ので	parce que, étant donné que . . . 31, 33
noni	のに	bien que 41
nomi no ichi	のみ の 市	marché au puces, brocante 17
nomu	飲む	boire 3

| noru | 乗る | monter (dans un véhicule) . . . . . 31 |

HA

ha	葉	feuille d'arbre 48
hai	はい	oui 4
- hai	…杯	pour compter les verres pleins . . 37
hairu	入る	entrer 5
hakanai	はかない	de peu de valeur 48
hako	箱	boîte 17
hakozaki	箱崎	HAKOZAKI (nom de lieu) 27
hagaki	葉書	carte postale 22
hashi	箸	baguettes 9
hashiru	走る	courir, rouler (véhicule) 32
hajimete	初めて	pour la première fois 39
hajimeru	始める	commencer (quelque chose) 47
hataraku	働く	travailler 11
hachi	八	huit 32
hatsuon	発音	prononciation 35
hate	果て	extrémité 43
hanashi	話	histoire 25
hanasu	話す	parler, raconter 33
hanareru	離れる	être éloigné 44
happi.endo	ハッピ・エンド	
		happy end, fin heureuse 43
hayai	早い	être tôt 27
		être rapide 32
hayaku	早く	vite 1
harau	払う	payer 32

| haru | 春 | printemps . . . . 26 |
| - han | …半 | - et demi. . . . . 30 |

HI

hi	日	soleil, jour 30
hikaeru	控える	modérer. 46
hikari	光	lumière. 30
hikôki	飛行機	avion 27
hikðjô	飛行場	aéroport 27
higure	日暮れ	coucher de soleil 48
hitsuyô	必要	nécessaire 34
hito	人	être humain. 19
hitobito	人々	les gens. 37
hitori	一人	une personne 44
hitori de	一人で	seul 47
hidari	左	gauche. 17
hima	暇	temps libre 26
hyaku	百	cent 22
hiraku	開く	ouvrir. 45
hirune	昼寝	sieste. 30
hîrô	ヒーロー	héros *(d'un film)* 43

FU

fû	風	manière 48
fasshon.moderu	ファッション・モデル	
		mannequin 25
fueru	増える	augmenter. 45
fôku	フォーク	fourchette 9

HE

HO

hômu.dorama　ホーム・ドラマ

		série familiale télévisée 10
hon	本	livre 4
hontô	本当	véritable 19
honya	本屋	librairie................... 18

BA

bâ	バー	bar...................... 11
bakkin	罰金	amende.................... 32
bâgen	バーゲン	soldes 31
baggu	バッグ	sac de voyage 27
basu	バス	autobus................... 6
ban	晩	soir...................... 26

BI

bioron	ビオロン	violon.................... 48
byôin	病院	hôpital 46
byôki	病気	maladie 41
biru	ビル	bâtiment 24, 32
bîru	ビール	bière 3
-bin *(après chiffre)*	…便	*numéro d'un vol* 27

BU

buke	武家	guerrier 36
bun	分	partie, part 34

BE

beddo	ベッド	lit........................ 46
benri	便利	pratique................... 24

BO

| boku | 僕 | je, moi *(hommes)* .... 20 |
| bôken | 冒険 | aventure .... 43 |

PA

pato.kâ	パト・カー	voiture de police............ 32
pan	パン	pain 3
panda	パンダ	panda 39

PI

piano	ピアノ	piano 29
pikunikku	ピクニック	pique-nique............... 16
pînattsu	ピーナッツ	cacahuètes 39

PE

| pea | ペア | paire .... 31 |
| pêji | ページ | page .... 25 |

MA

- mai	…枚	*pour compter les objets plats* ... 22
maiasa	毎朝	tous les matins............. 30
maido (arigatô gozaimasu)	毎度（ありがとう ございます）	(merci) pour chaque fois 18
mainichi	毎日	tous les jours 37
mae	前	avant, devant 13, 15
magaru	曲がる	tourner.................. 20
mâjan	マージャン	mah-jong *(jeu d'origine chinoise)* 41
massugu	まっすぐ	tout droit................. 20
mazu	先ず	d'abord 6
mata	また	de nouveau............... 9

mattaku	全く	entièrement, complètement ... 48
matsu	待つ	attendre.................... 13
mada	まだ	pas encore (+ nég.).......... 2
made	まで	jusqu'à.................... 6, 7
mamoru	守る	défendre, garder............. 43
man	万	dix mille.................... 17

MI

mieru	見える	être visible................. 8
mikka	三日	trois jours 20
mikan	みかん	mandarine.................. 16
migi	右	droite...................... 17
mise	店	commerce, magasin.......... 6, 19
miseru	見せる	montrer 17
mizu	水	eau froide 31
- mitai	…みたい	on dirait (que) 48
michi	道	rue, route, chemin 20
mitsukaru	みつかる	être trouvé 24
mitsukoshi	三越	MITSUKOSHI (nom propre) 31
mina/minna	皆	tous....................... 36
mimi	耳	oreille..................... 39
miyage	みやげ	cadeau..................... 6
myôji	苗字	nom de famille 36
miru	見る	regarder, voir 2

MU

mukai	向かい	en face 24
mukaeru	迎える	aller chercher (quelqu'un)...... 27

mukashi	昔	autrefois	36
mukô	向こう	de l'autre côté, en face	39
mushamusha	むしゃむしゃ	*façon de mâcher*	39
musuko	息子	mon fils	26
musuko san	息子さん	votre fils	23
muzukashii	むずかしい	être difficile	32
munashii	空しい	être vain	48
mura	村	village	30
muri	無理	déraisonnable	19

ME

- me	…目	(...) ième	31
me	目	œil	39
- mei	…名	*pour compter les personnes (officiel)*	44
meibutsu	名物	spécialité	30
megane	眼鏡	lunettes	8
meguro	目黒	MEGURO *(nom de lieu)*	6
mezurashii	めずらしい	être rare	41

MO

mo	も	aussi	6
mô	もう	déjà	25
mokuyôbi	木曜日	jeudi	39
moshimoshi	もしもし	allo	27
môsu	もうす	s'appeler, dire *(degré plus)*	15
motsu	持つ	tenir, avoir	4
moto	元	base	40
motto	もっと	plus, davantage	19

YO

yo	よ	[engagement] 2
yo	世	monde. 48
yô	よう	manière 48
yoku	よく	bien 8
yoku	よく	souvent 10
yokujitsu	翌日	lendemain 45
yoko	横	flanc, côté. 31
yô koso irasshaimashita	ようこそ いらっしゃいました	
		bienvenue 40
yosan	予算	budget. 32
yôchien	幼稚園	jardin d'enfants. 24
yotei	予定	prévision 45
yonaka	夜中	pleine nuit 11
yôfuku	洋服	vêtement. 4
yopparau	酔っ払う	être ivre. 48
yoyaku	予約	réservation 44
yori	より	plus (+ adjectif) que 19
yoru	よる	passer par. 31
yoru	夜	nuit, soir 11
yoroshii	よろしい	être bien (degré plus) 23
yon / yo	四	quatre 24, 46

RA

raion	ライオン	lion. 39
raigetsu	来月	le mois prochain. 44
raishû	来週	la semaine prochaine 23
rainen	来年	l'année prochaine 26

| rakuda | らくだ | chameau . . . . 39 |
| rajio | ラジオ | radio . . . . 47 |

RI

rishi	利子	intérêt 45
ribingu	リビング	salle de séjour. 34
rimujin.basu	リムジン・バス	
		autocar 27
ryôkin	料金	tarif, prix 22
ryokô	旅行	voyage. 31
ryôshin	両親	les deux parents, père et mère . 39
ryôri	料理	cuisine, préparation des plats . . 9
ringo	りんご	pomme 3

RU

| rusu | 留守 | absence. . . . . 18 |

RE

reikin	礼金	honoraires. 34
reitô	冷凍	congélation 48
rekôdo	レコード	disque 47
resutoran	レストラン	restaurant 46
renshû	練習	exercice. 1, 47

RO

roku	六	six 30
roketto	ロケット	fusée . . . .
robotto	ロボット	robot . . . .

romantikku ロマンティック

romantique 48

WA

wa	は	[renforcement].	11
wa	は	[annonce].	15
wa	わ	[adoucisseur].	27
wakaru	わかる	être compréhensible, être connu	1
wakareru	別れる	être séparé	34
wakusei	惑星	planète	43
wake	わけ	raison.	36
washitsu	和室	pièce à la japonaise	34
wasureru	忘れる	oublier	8
watakushi, watashi	私	je, moi.	9, 12
watakushidomo	私共	nous (officiel).	40
watashitachi	私達	nous.	39
wataru	渡る	traverser	36
warui	悪い	être mauvais, être méchant. . . .	19
warumono	悪者	un méchant.	43

NOTES PERSONNELLES

NOTES PERSONNELLES

NOTES PERSONNELLES

NOTES PERSONNELLES

NOTES PERSONNELLES

NOTES PERSONNELLES

NOTES PERSONNELLES

Aubin Imprimeur

LIGUGÉ, POITIERS

Reliure par la S.I.R.C. à Marigny-le-Châtel

Achevé d'imprimer en février 2003
N° d'édition 1894 / N° d'impression L 64849
Dépôt légal février 2003
Imprimé en France